D1197099

# LA SOLITUDE CARAVAGE

DU MÊME AUTEUR

ROMANS ET RÉCITS

*Tiens ferme ta couronne,* Gallimard, « L'Infini », 2017.
   Prix Médicis.
*Je cherche l'Italie,* Gallimard, « L'Infini », 2015. Prix de la
   Sérénissime.
*Les Renards pâles,* Gallimard, « L'Infini », 2013.
*Le Sens du calme,* Mercure de France, « Traits et portraits »,
   2011.
*Jan Karski,* Gallimard, « L'Infini », 2009. Prix Interallié,
   prix des lecteurs FNAC.
*Cercle,* Gallimard, « L'Infini », 2007. Prix Décembre, prix
   Roger Nimier.
*À mon seul désir,* Argol-Réunion des Musées Nationaux,
   2005.
*Évoluer parmi les avalanches,* Gallimard, « L'Infini », 2003.
*Introduction à la mort française,* Gallimard, « L'Infini », 2001.
*Les petits soldats,* La Table Ronde, 1996.

ESSAIS

*Drancy la muette,* avec des photographies de Claire
   Angelini, Photosynthèses, 2013.
*Prélude à la délivrance,* avec François Meyronnis, Gallimard,
   « L'Infini », 2009.
*Ligne de risque, 1997-2005,* sous la direction de Yannick
   Haenel et François Meyronnis, Gallimard, « L'Infini »,
   2005.

ENTRETIENS

Philippe Sollers, *Poker,* entretiens avec la revue *Ligne de
   risque,* avec la collaboration de François Meyronnis,
   Gallimard, « L'Infini », 2005.

Yannick Haenel

# La Solitude Caravage

Fayard

Collection « des vies »
dirigée par Colin Lemoine et Neville Rowley

Illustration : Le Caravage, *Judith décapitant Holopherne*, détail.
Rome, Galerie nationale d'art ancien.
©Getty.

Couverture : Cheeri.

ISBN : 978-2-213-70630-6
© Librairie Arthème Fayard, 2019.

*Qu'est-ce donc que peindre, sinon embrasser
avec art la surface d'une fontaine ?*

LEON BATTISTA ALBERTI,
*De pictura,* 1435.

# CHAPITRE 1

## La première femme

Vers 15 ans, j'ai rencontré l'objet de mon désir. C'était dans un livre consacré à la peinture italienne : une femme vêtue d'un corsage blanc se dressait sur un fond noir ; elle avait des boucles châtain clair, les sourcils froncés, et de beaux seins moulés dans la transparence d'une étoffe.

À cette époque, j'étais enfermé au Prytanée militaire de La Flèche, et mes seuls instants de plaisir avaient lieu lorsque j'étais seul, entre seize et dix-sept heures, à la bibliothèque : c'est là qu'une fin d'après-midi j'étais tombé sur cette femme.

Il y avait derrière elle un rideau en velours bordeaux roulé sur lui-même, qui a longtemps figuré dans mes rêves ; une lumière blanche tombait violemment sur son beau visage grave ; et tout son corps surgi du noir se jetait en avant, bras tendus, la poitrine dressée, comme une apparition qui déchire la nuit.

J'étais si obsédé par sa « gorge triomphante », comme le dit Baudelaire à propos d'une autre « enchanteresse », que je croyais son buste entièrement nu : en fixant son chemisier humide de sueur, je devinais la pointe durcie de ses seins. L'éclair brûlant des voluptés courait à travers ce tableau rouge et noir ; le corps de cette femme m'ouvrait à un avenir sensuel.

À son oreille, une adorable perle était fixée par un nœud de velours noir dont la boucle formait un papillon. Il arrive qu'un détail rivalise avec le monde : cette perle, ce papillon noir me plaisaient à ce point qu'ils jouèrent un rôle crucial dans ma vie. Je peux dire qu'ils veillèrent ensemble sur mon désir ; ils en étaient l'image – ils en devinrent même la clef.

Était-ce un coup de foudre ? J'approchais mes yeux du livre de peintures pour mieux voir la peau de la jeune femme, pour apprécier la pulpe boudeuse, vermillon de ses lèvres, pour attraper cette légère écharpe d'ombre qui enrubanne son cou.

Je me vois encore tenir le livre avec la fébrilité d'un amant : nous sommes en octobre 1982, le crépuscule est doux, les marronniers de la cour du Prytanée scintillent de couleurs fauves, et l'instant où ma main se lève vers l'image pour caresser la gorge dénudée s'écrit dans l'air comme la première page d'un roman.

C'est dans ces gestes insensés – à travers leur innocence – que se joue l'histoire d'un désir. Accueillir dans sa vie des figures peintes prépare sans doute à vivre selon les nuances. J'ignorais encore le plaisir qu'il y a à *toucher une femme*, et plus encore cette sensation de densité charnelle qu'on éprouve lorsqu'on caresse un sein, lorsqu'on serre des hanches, lorsque votre main, glissée dans une culotte, se referme sur l'endroit humide qui vous attire.

La perfection s'atteint quand le vertige vous comble ; la jouissance rejoint alors l'excès du monde : l'érotisme est l'art des bienheureux.

À cette époque, j'évoluais à l'intérieur d'un néant dont la violence m'offrait un destin. Je n'étais rien, mais ce rien me conduisait consciencieusement aux limites de l'existence : en apparence, j'étudiais dans un pensionnat militaire en treillis kaki, les cheveux rasés, et subissais la vie de dortoir, avec la promiscuité, les vexations du règlement militaire, le garde-à-vous autour du drapeau et la connerie des adjudants ; mais en réalité j'évoluais dans une dimension sacrificielle : j'étais Isaac sur le mont Moriah. Le couteau qui s'approchait de ma gorge était la vérité ; et si j'avais peur d'une chose, c'était qu'aucun ange ne retienne la main d'Abraham.

En m'arrachant à cette folie, l'image de la jeune femme me sauvait. Le monde des autres était lourd et bavard ; il n'avait pas de peau, pas de gorge, pas de lèvres rouges : il était masculin — il ne m'intéressait pas. Seul le corps de la jeune femme me captivait : j'allais la rejoindre chaque jour à la bibliothèque et, en la contemplant, je reprenais vie.

# CHAPITRE 2

## *Passage à l'acte*

Aux vacances de Noël, le Prytanée fermait, nous rentrions chez nous. Je voulus emprunter le livre de peintures italiennes, mais le soldat qui s'occupait de la bibliothèque était catégorique : un tel livre ne pouvait sortir, il devait rester consultable.

Je répondis que personne à part moi ne feuilletait ce gros livre, et d'ailleurs, si je l'empruntais durant les vacances, nul n'en serait privé puisque la bibliothèque serait alors fermée.

Le soldat, un maigrichon lunaire et agacé, refusa mes arguments : le livre devait rester sur son présentoir, « même en cas de fermeture ».

Je trouvais injuste, voire absurde, d'enfermer ainsi ce livre et d'en empêcher l'usage. Ce maudit règlement me privait de sa jouissance. Alors, pour ne pas rester quinze jours éloigné de l'objet de mon désir, je décidai d'en dérober l'image.

Une fin d'après-midi, je m'assis comme d'habitude à l'une des tables d'études de la bibliothèque en déposant devant moi le gros volume que j'ouvris à la page convoitée. J'avais dissimulé un cutter dans la poche de mon treillis ; je disposai à droite du livre quelques feuillets et me mis à écrire, comme si je commentais le tableau.

Quelques élèves feuilletaient des magazines, installés sur des fauteuils le long des étagères ; à ma table j'étais seul ; et là-bas, dans l'entrée, accoudé à son bureau, le soldat qui m'avait interdit le prêt lisait un polar.

À un moment, le téléphone sonna et il tourna légèrement les épaules pour s'emparer du combiné ; dans un éclair, je sortis le cutter de ma poche droite et, d'un geste froid, taillai la page de haut en bas et la fis glisser sous un feuillet.

Mon cœur s'était accéléré, le cutter avait retrouvé sa place dans ma poche, voici que je débarrassais la table et rangeais mes affaires dans un sac, fermais d'un coup sec le volume de peintures, le replaçais sur l'étagère des livres d'art, puis quittais la bibliothèque, sans même que le soldat, toujours au téléphone, m'eût jeté un regard.

Le soir même, au dortoir, je cachai l'image dans la petite armoire qui était attribuée à chacun de nous : je la glissai dans une chemise en cuir que mes parents avaient fait confectionner pour moi à Djibouti, où je m'apprêtais à les rejoindre pour les vacances de Noël ; dans ce portefeuille, soigneusement caché sous une pile de linge, je conservais toutes sortes de documents : des photographies, des coupures de presse, quelques lettres et des collages ; et mêlés à ces souvenirs, mon acte de naissance et mon passeport français, ainsi que des poèmes, des bouts de phrases, et plusieurs cahiers d'un journal intime que je tenais alors avec une précision fiévreuse.

# CHAPITRE 3

## *Cérémonie*

En écrivant ce livre, je cherche à préciser une émotion. Ce qui n'est pas précis existe à peine, seule importe la minutie : il faut que les mots trouvent leur chair, il faut qu'ils serrent au plus près le point qui nous brûle. Le monde est un nid de détails ; et si nous ne parvenons pas à désigner ces étincelles sensuelles, non seulement elles nous échappent, mais elles appauvrissent notre désir, qui peu à peu s'efface, devient approximatif, de plus en plus flou, et bientôt inexistant.

Depuis que j'avais l'image avec moi, je pouvais la contempler à loisir. La nuit, au dortoir, après l'extinction des feux, j'avais l'habitude de lire au moyen d'une lampe de poche qui se fixait sur le livre avec une pince ; la petite ampoule que j'avais soigneusement habillée d'un auvent de scotch cartonné dirigeait ainsi son faisceau vers la page de mon livre sans déranger mes voisins, qui dormaient à moins d'un mètre de mon lit.

Ce rayon de lumière formait un abri, il me prodiguait la faveur d'un îlot ; c'est là, chaque nuit, que je sortais de l'obscurité où m'avait précipité ma séquestration dans un univers militaire.

Il est vingt-trois heures, la lumière est éteinte dans le dortoir, des lits grincent, on perçoit des murmures, une confusion d'insomnies, ce fond de cauchemar ambigu qui agite le sommeil des adolescents.

À la lumière un peu crue de la lampe, le corps de la jeune fille prend une clarté plus sauvage. La buée d'ambre qui dans le livre enveloppait ses rondeurs et son visage duveté s'efface à présent dans les tons de la nuit. La violence des contrastes me livre une chair inquiète, la pénombre jette sur ses formes une vigueur farouche qui laisse deviner que son regard est occupé d'une chose terrible.

J'ajuste l'image au livre de poche sur lequel j'ai fixé la lampe. La lumière arrive par le haut, on dirait qu'elle dénude le corps de la jeune fille.

Je laisse son charme agir sur moi : mon désir accroche d'abord sa bouche aux lèvres mi-closes, il remonte ensuite jusqu'à ce pli inquiet qui creuse son front. En s'attardant délicieusement autour de la perle, voici qu'il frôle les mèches d'une chevelure dont les boucles dorées, retenues par un chignon, retombent librement sur ses tempes.

La perle vibre un peu tandis qu'avec ma langue je tourne autour du ruban de velours noir qui la fixe. Plus bas, sous le menton, c'est un léger renflement qui fait signe vers la douceur potelée de l'enfance.

J'approche mes doigts qui parcourent la ligne dénudée de l'épaule et celle des bretelles, caressent la soie de ses manches retroussées et glissent le long de ses bras, dont je peux sentir, en fermant les yeux, l'excitante chaleur.

Je me dirige vers la région du décolleté, où la peau tremble un peu, fragile, soyeuse comme le corsage qui s'estompe en une transparence nacrée. Tout près du cou, la peau se mange, et lorsque enfin la main s'ouvre entière pour toucher les seins, tout un monde voluptueux se libère.

La félicité suppose une lenteur qui en explore les nuances : la beauté d'un corps se donne au gré de ses inflexions. C'est pourquoi mon regard est insatiable : il faut que je voie tout, aucun pigment ne doit rester dans l'ombre. Le corps aimé nous restitue ce que la pensée dévore en nous.

L'émotion flotte alors d'une lisière à l'autre, elle se vaporise en petites visions qui créent un monde de couleurs, comme si, à travers le plaisir, par la seule concentration du regard, par le travail infatigable de mes yeux, je parvenais, en balayant sans arrêt la surface de l'image qui me requiert, à en faire surgir une forme, un volume, un poids, à en extraire un parfum, une pluie de sensations colorées, à en inventer la chair, comme si c'était mon plaisir qui s'était mis à peindre cette femme, comme si j'étais devenu le peintre.

Je possède encore, trente-cinq ans après, chaque détail de cette cérémonie dans les yeux, dans les mains. Je sais comment ouvrir la nuit avec une petite lampe ; il n'y a pas de joie plus déchirante que celle qui vous soustrait à la pesanteur d'une communauté forcée.

# CHAPITRE 4

## *La vie secrète*

Voilà, le désir n'en fait qu'à sa tête, il se lance sur une proie invisible, allume des lueurs coupées de toute raison, et invente avec elles un culte brûlant qui lui sert de cachette. Avec la figure éblouissante d'une femme peinte, ma désertion s'approfondissait : j'allais désormais m'avancer masqué.

Je n'avais pas encore compris ce qui se passe *réellement* dans ce tableau : le mouvement qui déchire sa nuit ne m'avait pas sauté aux yeux. Au fond, je l'avais vu sans le voir (une telle énormité se donne à travers un éclat de rire) : le tableau dans son entier se réservait. Mais qu'y avait-il donc qui m'échappait ?

Bien qu'elle fût un mystère, j'aimais la moue de cette femme : la contrariété lui plissait le front — cela aussi me plaisait ; et tout en me demandant pourquoi elle souffrait (car il était évident que l'effort qui s'imprimait sur son visage relevait de la douleur), je ne pouvais m'empêcher de trouver adorable ce froncement, d'autant qu'il se répétait dans la forme suggestive des lacets qui comprimaient son corsage. Tout, chez elle, était froncé ; et ce resserrement contenait la promesse d'une nudité.

Sur quoi était-elle donc penchée ? Et que faisait-elle avec ses mains ? Cette femme appartenait à une scène absente, ou alors le tableau ne montrait pas tout. D'ailleurs, était-ce un portrait ou le détail d'une peinture plus grande ? Dans mon souvenir, il n'y avait aucune indication dans le volume de peintures italiennes ; une telle lacune renforçait encore le charme : cette femme désirable était occupée à une chose qui demeurait secrète, hors champ, peut-être interdite.

Je me disais : l'objet du désir est toujours incomplet, il déborde non seulement la raison, mais aussi la capacité du désir lui-même à saisir ce qui l'anime, car une part de lui *n'est pas dans le tableau.*

À force de contempler cette image, j'avais commencé à interpréter, d'une manière un peu folle, la totalité de ses signes. Par exemple, cette sorte de répugnance contenue qui apparaît sur le visage de la femme, j'y lisais la preuve d'une délicatesse : celle qui anime nos réticences et nous intime de ne pas adhérer.

Si ses bras se tendaient vers l'avant, ses épaules au contraire reculaient : elle accomplissait donc quelque chose qu'elle ne voulait pas faire – une tâche ingrate, un geste inassumable ; son corps était le lieu d'une contradiction, et ce mouvement très intériorisé, cette effervescence pleine d'angoisse la rendaient plus passionnante encore : je n'aime pas les indolentes.

Je m'en rendais compte à présent que j'étais libre de contempler cette image autant que je le voulais : c'était le contraste entre sa poitrine offerte et son visage fermé qui faisait l'énigme de cette femme. C'était bel et bien sa solitude que je désirais : qu'y a-t-il de plus aphrodisiaque chez quelqu'un qu'on désire, que sa solitude ?

Ainsi, dans la pénombre d'un dortoir de garçons, auréolé par mon obsession, approfondissais-je l'entrée dans une vie secrète ; je sentais bien que cette attirance pour une figure peinte ne s'accordait pas aux évidences que partagent les hommes : elle me séparait carrément du goût commun. Je devais prendre garde à ne pas être vu : si un tel penchant venait à se savoir, on me prendrait pour un tordu.

La nuit, je me faisais parfois l'effet d'un bandit ourdissant les complexités tortueuses d'un casse, ou d'un de ces fanatiques absurdes occupés à perfectionner leur cathédrale d'allumettes ; mais cette insistance à pénétrer avec tant d'assiduité dans une région si ardente me donna le goût de la cérémonie. Rien de vraiment intense n'existe sans une dimension rituelle : en usant mes yeux la nuit sur ce corps désiré, je mettais le feu à ma vie – ça s'était allumé, ça n'en finirait plus ; mais cette passion impartageable me destinait aussi à explorer la part d'inconnu qui nous accorde à la vraie vie. C'était là que ça se passait, dans la scintillation d'une expérience où le désir réveille la beauté ; pas dans la morne survie, pas dans les rapports de force. Trouver dans sa vie comment saluer la beauté, n'est-ce pas de cela qu'il s'agit dans toute initiation ? Je faisais mes débuts, j'attendais la magie.

Rimbaud parle dans les *Illuminations* de « possession immédiate » : il désigne ainsi la fulgurance de l'événement. Existe-t-il d'autre événement qu'une apparition érotique ? Ce qui me bouleversait à travers celle de cette femme relevait tout autant de l'attrait (de cette inclination *sans pourquoi* qui vous arrache à l'enfance) que de la soif qu'il m'arrive enfin quelque chose : une histoire, un récit, une aventure.

Voici donc ma première héroïne, et le roman qui s'est bâti dans ma vie autour de son surgissement appelait ce genre de minuties qui m'ont ouvert au monde de l'écriture, à ses précisions hallucinées, à la radicalité de l'idée fixe.

# CHAPITRE 5

## *Un destin érotique*

Plus tard, lorsque l'obsession sexuelle aura pris possession de mon esprit, j'en appellerai à des images plus obscènes ; mais, à 15 ans, je tendais tout entier vers le feu d'un visage, d'une gorge, et rien à mes yeux n'était plus absolu : je n'attendais de la vie que ce rapport ardent ; je ne pensais même pas *rencontrer* une femme comme celle du tableau, encore moins obtenir d'elle quelques gestes lascifs ou amoureux, seule son existence sur cette image me suffisait, comme une certitude aveuglante.

Une image éclairait ainsi par son intensité la forêt où j'étais perdu : non seulement elle illuminait ma pauvre adolescence de pensionnaire frustré, mais elle avait pris dans ma vie toute la place, et j'en étais heureux ; je savais déjà, reclus dans un lycée militaire, m'arrachant les yeux comme un dément sur l'image d'une peinture italienne, qu'il en serait toujours ainsi : toute ma vie, il me faudrait penser à une femme, qu'elle fût réelle ou imaginaire, et avoir constamment à l'esprit un visage, lui consacrer cette attention méticuleuse qu'un sculpteur porte aux courbes fragiles d'une silhouette et approfondir par cette fidélité le mystère de ce qu'il en est d'être requis. Cette femme, toujours la même et toujours autre, allumerait dans mon esprit des récits détaillés ; elle donnerait un avenir à mon déchiffrement de l'existence, elle serait en quelque sorte le présage de l'écriture et son emblème : penser à une femme, ce serait écrire.

Cette *première femme* m'accordait déjà tout : car ce merveilleux visage qui semblait se cacher en profitant de l'ombre (en se nourrissant d'une cachette à laquelle son élan l'arrachait), ce corps gracile et déterminé qui consentait à n'être peint qu'en se contractant, venaient me dire, depuis leur lointain cerné de noir, qu'une présence est ce qui jaillit dans la nuit, et que ce jaillissement brise le cadre avec la violence érotique du rêve.

Tout se jouait ainsi entre douceur et cruauté : cette femme peinte qui s'introduisait dans la définition de mon désir ouvrait-elle un peu la bouche ou gardait-elle ses lèvres closes ? Entre parole et silence s'ouvre l'interdit. Un destin érotique s'éclaire-t-il un jour ? La violence qu'il y a dans le désir en trouble la saisie ; et peut-être même qu'un désir qui parviendrait à se connaître en aurait fini avec lui-même. Je cherche ce point où la jouissance traverse le miroir que le désir ne cesse de lui tendre.

De cette première attirance se sont logiquement déduits mes penchants ; mais s'il aime à se fixer sur des ténuités qui peuvent apparaître dérisoires (et se révéler fatales), le désir récuse avant tout le pli : en un sens, mon amour pour la jeune femme du tableau a déterminé les figures de mon goût ; mais je crois qu'elle a surtout fait disparaître en moi tout intérêt pour ce qui ne relève pas de l'érotisme. Elle a ouvert la chambre rouge ; et rendu insignifiant ce qui se déroulait en dehors d'elle : ce qui agitait le monde, épouvantablement masculin, de la société.

Et de fait, une fois sorti de mon carcan, je n'ai jamais plus passé une journée de ma vie sans penser à une femme – sans élaborer des aventures symboliques : ce que l'esprit combine appelle de la fiction, et celle qui colle au désir est si proche de la littérature qu'en un sens elle s'écrit toute seule, en creusant le filigrane automatique de l'obsession. Le désir, comme les phrases, mobilise des nuances qu'il ne cesse d'ajuster entre elles. Les noms, les peaux, le grain des lumières, la saveur des baisers : tout se précise et se conjugue – sans fin. Écrire et désirer sont des activités qui se confondent : la solitude, en elles, donne sur un *autre pays*, où la vérité se libère des rapports de force.

J'avais donc fait, à 15 ans, au Prytanée, la découverte simultanée de mon néant et du désir qui le métamorphose en fiction. Est-ce que

chacun, autour de moi, était également prisonnier de cette vacuité ? Le néant était-il la sanc-
tion d'une existence sans consistance ou la limite
imposée à chacun de nous, comme dans l'Antiquité les colonnes d'Hercule signalant aux voya-
geurs les limites du monde connu ?

Le désir était la solution : comme la petite
lampe qui éclairait pour moi seul dans la nuit
l'image d'une femme, il me préparait à *récupérer
ma magie* – celle qu'on m'avait dérobée en m'en-
voyant dans ce monde.

# CHAPITRE 6

## *Le silence des figures peintes*

J'écris ce livre avec l'espoir qu'à force de couvrir les lignes de mon cahier quelque chose du geste de la peinture finira par se rejoindre : un tableau se construit grâce aux pensées qui animent le pinceau ; ainsi en va-t-il d'un livre, a fortiori lorsque son objet consiste à ressusciter l'émotion ressentie devant une image, c'est-à-dire à réinventer avec des mots ce que nous avons vu, et qui nous a troublé.

C'est la main qui pense : les traits, les lignes, les boucles qui sortent du stylo-bille, l'encre qui roule de la pointe Bic, forment sur la page blanche une surface noire d'où sortiront des figures qui se mettront à vivre ; en écrivant à la main, j'autorise un fantasme insensé à tourner autour de mes phrases : l'idée qu'une présence se délivre de sa figure, qu'elle se mette à exister, comme une personne réelle – mieux qu'une personne réelle.

Qui a dit que l'âme humaine aime à s'en aller toute seule ? Le silence des figures peintes me hante au point que ma parole est devenue nocturne, et mes phrases pleines de nuit.

Je me souviens d'un voyage à Venise après lequel, ayant vu avec passion de grands tableaux de Carpaccio, et choisi d'aimer parmi eux ce détail où l'on voit, mélancolique, la silhouette d'un jeune homme de dos, qui s'en va debout dans une gondole, et *fuit seul vers le seul*, je ne parvins plus à parler pendant dix jours : j'étais ce jeune homme, j'allais là-bas, au bout des terres, rejoindre ce lieu où j'habitais depuis toujours sans le savoir, je m'éloignais sous de vastes portiques, absorbé par la douceur d'un soir qui semblait suspendre toute douleur.

Je ne crois pas que le silence de la peinture me coupe la parole ; au contraire, le monde qu'il contient m'est devenu si familier que je m'exprime désormais comme dans son pays, c'est-à-dire intérieurement. Les figures qui animent les tableaux possèdent une subtilité qui a disparu du langage de tous les jours : l'objet de ce livre consiste à renouer avec cette voix subtile ; à retrouver une parole qui s'accorde aux énigmes enflammées qui peuplent la peinture.

J'ignorais qui avait peint ce tableau avec lequel j'avais passé tellement de nuits. Je n'avais pas pris soin à l'époque de le noter ; ou peut-être l'avais-je oublié : je cherchais dans la peinture des visages, des prétextes à nudités. Les peintres me fournissaient un monde d'obsessions, peu m'importaient l'histoire de l'art et le nom des artistes.

# CHAPITRE 7

## *La décapitation*

Quinze ans plus tard, en 1997, je fis un voyage à Rome. C'était en septembre, pour mes 30 ans. J'étais accompagné d'une jeune femme dont le visage d'ange à la fois sévère et tourmenté ressemblait à celui de Dominique Sanda dans ce film de Robert Bresson qui s'appelle *Une femme douce*.

Nous visitâmes la ville, et un matin, au Palazzo Barberini, je tombai sur le tableau. Je l'avais reconnu de loin : il était accroché là-bas, dans la lumière crue de septembre ; il fallait descendre quelques marches, il n'y avait personne ou presque dans la salle. Je m'avançai, la gorge serrée ; la jeune femme au visage d'ange s'était arrêtée à l'écart devant un autre tableau, celui d'une sainte en extase : j'arrivai donc seul face à l'amour de mes 15 ans.

Elle était immense : je découvrais son corps entier qui se déployait dans le rouge et le noir du tableau ; mais, au lieu d'éprouver la joie des retrouvailles, je fus pris de stupéfaction : elle n'était pas seule, il y avait à ses côtés deux autres personnages, un homme et une vieille servante ; et plus surprenant encore, cette femme qui me plaisait tellement, et dont la beauté n'avait cessé d'accompagner mon désir toutes ces années comme un mystère initiatique, tenait une longue épée qui tranchait la tête de l'homme allongé sur son lit.

Je n'en revenais pas : cette femme que je croyais connaître comme une amante était en réalité une tueuse ; elle décapitait un homme devant moi.

Je me mis à regarder ce tableau comme jamais sans doute je n'ai regardé aucune œuvre d'art : avec l'avidité d'un chasseur et la terreur d'une proie. En quelques secondes, sous l'effet d'une fébrilité qui m'était nouvelle, j'en enregistrai les moindres détails ; j'imagine qu'une victime, sur le lieu du sacrifice, jette ce genre de coup d'œil qui lui donne une dernière fois le monde ; et que le bourreau qui s'apprête à frapper possède lui aussi, durant quelques secondes, une acuité infaillible : eh bien, face à mon tableau, ce matin de septembre, à Rome, j'avais à la fois l'œil de la victime et celui du bourreau.

Il existe des assauts immobiles ; j'en vivais un. Tout me sautait au visage : l'épée, le cou, le sang qui gicle – mais aussi chaque pli du rideau, et les ombres qui mangent le corps de l'homme, la solitude des mains, le triangle fou des regards, la grimace de la servante.

J'étais atteint personnellement, comme si les couleurs, les lignes, les volumes s'adressaient à une part inconnue de ma vie, laquelle se réveillait ce matin-là telle une vieille blessure et me transmettait au monde de la violence.

Dans *Michel Strogoff*, un roman qui m'avait marqué durant mon enfance, on fait subir au héros un supplice qui, secrètement, se métamorphose en ordalie. Juste avant de passer le fer d'une lame brûlante devant ses yeux pour l'aveugler à jamais, le bourreau lui dit : « Regarde, regarde de tous tes yeux. » Michel Strogoff tourne alors son regard vers la foule et y distingue une femme dont le regard lui semble rempli de compassion. Les larmes lui viennent, qui le sauvent de la brûlure fatale.

Eh bien, ce jour-là, moi aussi, je *regardais de tous mes yeux*. La jeune femme empoigne d'une main les cheveux de l'homme et de l'autre lui découpe la carotide. L'agonie de l'homme est épouvantable : les yeux révulsés, la bouche tordue en un cri infect, il tente dans un dernier sursaut de s'accrocher aux draps déjà maculés de sang ; et à droite, en bas, les traits de la servante sont exorbités par une jouissance noire, louche, presque sale, qui lui vient de la contemplation du crime : elle serre entre ses mains le sac de toile brune où sera bientôt fourrée la tête de l'homme.

Je regardais le tableau comme on assiste, bouche bée, à une scène atroce ; mais, à la stupéfaction que provoque une découverte macabre – a fortiori lorsqu'il s'agit d'une décapitation (car alors le trouble porte en lui quelque chose d'effroyablement archaïque) –, s'ajoutait un désaveu aussi cuisant que grotesque : comment avais-je pu ne pas voir que sous la belle personne qui pimentait mes rêveries sévissait une criminelle ? J'avais trouvé désirable une femme qui infligeait la mort ; c'était trop beau ; même un psychanalyste aurait trouvé que je passais les bornes.

L'air si préoccupé de la jeune femme, ses sourcils froncés que j'aimais tant, où je voyais le signe le plus délicat de la noblesse d'esprit, lui venaient en réalité de la besogne qu'elle accomplissait consciencieusement ; et moi qui avais détecté dans sa douceur ombreuse quelque chose de baudelairien, j'étais obligé de penser maintenant à d'autres vers de Baudelaire, qui lui convenaient mieux : « Je te frapperai sans colère / Et sans haine, comme un boucher. »

# CHAPITRE 8

## *Judith*

On dira que cette mésaventure signe mon aveuglement. Certes, je ne pouvais pas savoir : je n'avais vu durant toutes ces années qu'un morceau du tableau, mais la métaphore était d'une inquiétante limpidité : à la place de mon désir se cachait la mort. C'était un cas d'école, presque une caricature.

Le plus étrange est que je riais. Cette erreur qui en disait long sur mon désir relevait d'une comédie : elle me disait que les histoires de sexe sont à mourir de rire, et que les hommes se racontent des histoires sans comprendre qu'en vérité ils y perdent la tête.

Ce n'est pas tous les jours qu'on rencontre l'objet de son désir ; quand ça arrive, on croit l'*avoir* – mais on ne fait que le poursuivre. À la fin, le désir tranche ; et vous vous rendez compte que ce n'est même pas le vôtre.

Je me suis approché du cartel, où il était écrit ceci :

Michelangelo Merisi da Caravaggio, *Giuditta che taglia la testa a Oloferne*, 1599, olio su tela, 145 x 195 cm.

J'avais souvent parlé à la jeune femme qui m'accompagnait de ce tableau dont je n'avais plus qu'un souvenir flou et qui m'avait introduit à la folie du désir : combien de fois lui avais-je dit qu'elle ressemblait à la figure peinte, et que c'était en recherchant celle-ci que je l'avais trouvée elle ? Durant toutes ces années, comme j'ignorais que le tableau fût du Caravage, et que ma connaissance en était incomplète, je n'avais pas réussi à le retrouver.

Lorsque enfin elle me rejoignit face à *Judith et Holopherne*, j'eus du mal à la convaincre qu'il s'agissait bien du tableau que j'avais tant cherché ; d'abord, elle refusa de me croire, puis se moqua de moi et, sans doute effrayée par la violence de la scène, se mit à me faire des reproches : comment avais-je pu « fantasmer » (c'était son mot) sur une femme pareille, qui non seulement était une tueuse, mais dont le visage ingrat était marqué par une douleur affreuse ?

La ressemblance entre Judith et elle me sautait aux yeux et aggravait notre malaise : sans doute était-ce cela qu'elle me faisait payer ; car, en comprenant soudain l'origine de mon attirance pour elle, elle découvrait en même temps comment je la voyais.

C'était un désastre, et si cette Judith qui lui déplaisait tant m'avait mené vers elle, la logique voulait que le chemin prît un sens inverse : maintenant que j'avais retrouvé le modèle, pourquoi son substitut resterait-il à mes côtés ? C'était confusément ce qu'elle me faisait comprendre, et moi je jouais au type qui ne s'aperçoit de rien.

Après une conversation amère, elle approcha son doigt du tableau ; elle indiquait la tête d'Holopherne :

– C'est donc toi ?

Qu'aurais-je pu dire ? Ce n'était pas moi, et pourtant c'était moi (mais n'étais-je pas également Judith ?). La limpidité de cette histoire était d'une cruauté risible ; elle nous éclaboussait. Le piège qui se refermait sur moi, ce matin de septembre à Rome, me libérait. J'éclatai de rire. Sans doute ce rire venait-il soulager l'excès d'une émotion impossible à partager, mais il y avait dans ce flot de joie une ironie qui m'était avant tout adressée : maintenant que mon désir était démasqué, j'étais libre.

Je ne sais si ma compagne se sentit humiliée ; la surprise l'emportait : elle ne m'avait pas vu – et voici que, à la faveur d'un tableau du Caravage, elle comprenait enfin qui j'étais. Elle me dévisagea sans un mot et quitta brusquement la salle ; j'entendis ses talons claquer sur les marches du grand escalier de marbre du Palazzo Barberini, leur bruit s'amenuisant à mesure, jusqu'à ce qu'elle eût gagné la cour pavée, où je la vis par la fenêtre s'éloigner, élégante, furieuse, et disparaître à travers les rues de Rome.

# CHAPITRE 9

## *Révélation*

Ce soir-là, dans la chambre d'hôtel, en attendant le retour de la jeune femme au visage d'ange, je me plongeai dans les livres sur le Caravage que j'avais achetés à la librairie du Palazzo Barberini. Dans ma frénésie, et pour assouvir une soif soudaine, j'en avais acheté plusieurs, en italien, en français, et parmi eux il y avait celui de Roberto Longhi, qui, le premier, m'ouvrit au monde du Caravage, et une petite biographie écrite par Giovan Pietro Bellori, un contemporain du peintre.

J'en ouvris un, puis un autre, un troisième, les six en même temps, que je disposai sur le lit. La peinture du Caravage me sauta au visage, comme si, en quelques secondes, on avait lâché sur moi ces « fauves du réel » dont parle Lacan.

Je n'ai pas de réticence à voir des scènes cruelles : les images criantes ne brisent en nous que des peurs faciles ; elles nous rappellent que, si nous sommes vivants, c'est parce que le couteau n'est pas encore entré complètement dans la plaie. J'attends de la peinture qu'elle regarde la mort en face, et qu'en elle, déchirant le rideau, s'allume une lumière crue qui soulève les corps vers l'abîme ou le salut : alors, nous assistons à la naissance du visible en nous.

Avec le Caravage, j'étais servi ; mais la violence de cette peinture ne se résumait pas aux têtes coupées, ni même aux cris poussés dans la nuit par des hommes sacrifiés : le fol éclat qui parcourait ces visages et tourmentait ces corps ne s'enfermait pas dans cette région macabre qu'avait mal supportée mon amie ; au contraire, la présence qui émanait de ces figures peintes était aussi troublante que le regard de ces morts qui nous dévisagent sur les sarcophages que des Égyptiens de la région du Fayoum ont ornés pour honorer leurs défunts.

Il y avait des voyous, des gitons aux ongles noirs, toute l'arrogance fleurie d'une sexualité qui provoque et déborde, mais aussi le Christ, comme jamais je ne l'avais vu, et de très jeunes gens douloureux et sensuels qui faisaient le Baptiste, Isaac, la Vierge ou Madeleine ; une lumière déchirante baignait ces corps avec l'intensité de la dernière solitude : on était invité brutalement entre Dieu et le néant. Le désir loge-t-il entre ces deux infinis ? Ici, la vérité vous brûle.

Judith m'avait ouvert la porte du désir ; et voici qu'en plus d'être à mes yeux la première femme, et de m'initier comme une prêtresse aux aventures du plaisir, elle me guidait avec son épée dans ce pays ardent qu'est l'œuvre entière du Caravage – elle découpait le visible, et voici que je passais avec elle derrière le rideau rouge et pénétrais dans ce monde où les figures se découpant sur un fond noir me rappelaient les parois de Lascaux.

En feuilletant à toute allure ces livres d'où les tableaux du Caravage semblaient jaillir dans un spasme, je faisais connaissance avec un monde, à la fois très ancien et très neuf, où vie et mort se mêlent en un *mystère d'abîme*.

Une telle secousse relevait de la délivrance : enfin, *je voyais*. On me dira au contraire qu'il est impossible de voir la peinture dans des livres – à travers de simples reproductions –, et que les volumes, les couleurs, l'inflexion de la lumière ne se donnent qu'à la faveur d'un cadre accroché sur un mur ; mais il m'est arrivé, contemplant un tableau dans un musée, de *moins bien le voir* que dans la solitude de ma chambre. Les reproductions sont trompeuses, faibles, insuffisantes, mais on y revient sans cesse, et avec elles, malgré notre défiance, se compose une relation intime et poudreuse, qui, à force d'ajuster sa distance, nous rapproche finalement peu à peu de ce point où l'attirance que nous avons pour une œuvre nous la donne.

Il arrive qu'un tel prodige ait lieu devant une pauvre image mal imprimée, aux couleurs ternes ou fausses ; et que notre émotion s'élargisse en une compréhension brûlante et devienne de l'amour. Saint Augustin écrit : « L'amour ne laisse pas d'images » ; je crois le contraire.

Chacun de ces livres me faisait revenir à Judith : à travers son bras qui décapite Holopherne se déduisait un geste plus mystérieux. N'est-elle pas une héroïne biblique, l'Ancien Testament ne lui consacre-t-il pas un livre entier ? Si elle tue, c'est pour délivrer Israël du monstre qui l'opprime. C'est une erreur que de voir en elle une figure du mal, comme l'avait fait cette amie au visage d'ange que j'attendais encore, et qu'en un sens je n'attendais plus. L'ange, c'était Judith – un ange sexuel délivrant Israël du mal.

Je l'ai dit, la main de Judith m'a initié à la peinture : inséparable du couteau, elle tient ferme sa couronne. Grâce à elle, j'accédais à d'autres mains, celle du Christ qui, désignant Matthieu au fond de son bureau des douanes, et séparant par la ligne impeccable de son bras la lumière et les ténèbres, refait le geste impérieux et relâché d'Adam que Michel-Ange a dessiné sur le plafond de la Sixtine ; celle de saint François, percée par les stigmates et doucement tournée vers l'intérieur d'une extase ; celle de David brandissant avec une compassion surprenante une tête de Goliath où le Caravage a fixé ses propres traits ; et toutes ces mains qui donnaient la mort ou la lumière, qui recevaient le courage ou la grâce, et, plus secrètement encore, et d'une manière aussi brusque qu'invisible, tenaient le pinceau du Caravage : ces mains de femmes et d'hommes, de saints, d'apôtres, de prophètes, ou de dieu qui n'étaient à la fin que celle du peintre lui-même, ouvrant les ténèbres par le seul maniement d'un bouquet bien serré de poils d'écureuil, dévoilant les secrets du visible, la pesanteur des corps, la beauté des vocations, la brusquerie tragique des gestes qui préparent l'histoire et des regards qui espèrent l'éternité.

Voilà, il me semblait que chaque tableau racontait l'histoire d'une figure qui bondit depuis le noir ; et que, à l'image d'Aphrodite naissant de l'écume, ce bondissement surgissait de cet éclair qui nous illumine à l'instant de la mort.

Le monde peint vient éclairer le fond vide de l'existence : dans les tableaux du Caravage que je dévorais cette nuit-là du regard – mais n'étaient-ce pas plutôt eux qui me dévoraient ? –, les personnages ne semblaient exister que pour l'instant qui les consacre : qu'ils tuent, perdent la tête, exhibent celle de leur ennemi, tombent de cheval, connaissent leur vocation ou se mettent à écrire sous la dictée d'un ange, la révélation était l'unique moment où l'on accède à l'*existence réelle* ; et cette révélation bousculait les contours de cette vie dont faute de mieux les humains se contentent, et qu'ils mènent à l'abri de la métamorphose et des grandes joies.

En un sens, durant cette nuit consumée dans l'attente d'une femme, et dans le feu exaspéré des livres dont je tournais les pages avec la vitesse d'un dément, j'ai *tout vu* du Caravage. Ce *tout* s'est effacé, il n'a duré que quelques secondes, quelques minutes peut-être : en écrivant ce livre, je ne fais qu'essayer de revenir à ce feu qui en vous tombant dessus d'une manière imprévisible vous accorde l'acuité qui rencontre la peinture.

# CHAPITRE 10

## *Tout le Caravage*

C'est le monde entier, ce sont des poires, des figues, des prunes, des iris, des œillets, des jasmins, du genêt, de la vigne, des gouttes de rosée, la corde cassée d'un luth, un miroir et une carafe, une corbeille débordant de raisins, un garçonnet en chemise blanche qui pèle un fruit, un sabre taché de sang, des couteaux, des violons, tout un monde rouge et torturé qui étincelle ; et voici d'autres lumières, d'autres ombres, saint Paul désarçonné, Isaac le couteau sous la gorge, un Baptiste buvant à la fontaine et Salomé portant sa tête dans un plat, Jean-Baptiste, encore lui, hilare et jeune, enlaçant un bouc, puis une tablée de joueurs de cartes agitée de tricheurs, des pèlerins, des apôtres, des fossoyeurs, des bourreaux, quelques anges qui sourient, une croix, des culs, des seins, des épaules dénudées, des lèvres qui séduisent, une diseuse de bonne aventure, une petite sainte en pleurs, des reflets qui vous ouvrent au ciel, au dieu qui resplendit ou qui s'éteint, des éclats de ciel noir, des éclats de ciel rouge, des éclats de rien, une perle nouée d'un papillon noir, un flacon abandonné, un collier, des brocarts bleus et verts, des robes de courtisanes, des bergers, des Bacchus repus et charmeurs, et mêlés à la Passion du Christ des trognes de bourreaux qui s'acharnent, grimacent et flagellent, des ermites qui écrivent, un crâne à la main, drapés de rouge, des ramures d'automne desséchées jaune et ocre, un bouc, un agneau, un âne et des molènes, une Vierge qui endort l'Enfant au son du violon d'un ange, un petit gobelet qui rappelle le baptême où je n'en finis plus de boire en rêve, une jeune larme qui coule sur la joue d'une Madeleine inconsolable, quelques boutons de nacre, une écuelle et des ombres violettes, des bouches qui crient, du sang qui coule, des chapeaux à plumes qui flamboient et des pourpoints rayés de jaune, des gants percés, des cartes biseautées, des têtes empanachées, des têtes coupées, de belles dames au regard qui fuit, des vauriens grimés en petits dieux, l'un arborant une couronne de lauriers, une coupe de vin noir à la main, l'autre le visage vert d'un Bacchus malade, un autre encore mordu par un lézard, et qui geint comme un petit porc, et de nouveau le rondouillard, avec son air vicieux d'empereur dans l'orgie, et de nouveau la splendeur qui vous chavire, le Christ mort et pourtant plus vivant que nous tous, et l'œil d'Isaac effaré sous le couteau, et l'ombre insensée, la clarté

qui tue, un tabouret qui vacille au bord du vide
sous le poids de Matthieu écrivant son Évangile,
et lorsqu'on ferme les yeux, tous les détails qui
vibrent et glissent d'un tableau vers l'autre, la
vision qui se brouille juste avant la joie, et voici,
dans un éclair, abrupte comme une apparition,
la Vierge allongée, morte, au-dessous d'un drap
rouge où s'enveloppe en silence le nom secret de
toute présence, ses pieds nus qui dépassent, fragiles, comme en lévitation, et le baquet au bas du
lit où l'on devine l'éponge, l'eau usée, la merde,
le crâne de Goliath, le reflet de Narcisse, David
torse nu brandissant la tête du Caravage, le cri
rond de Méduse, la croupe blanche d'un cheval,
des pieds sales, des ongles noirs, la roue dentée de
Catherine, le corps percé du Christ, un serpent
écrasé, un ange au sexe heureux, de nouveau
des saints qui écrivent, et le Christ à la colonne,
le Christ capturé, le Christ couronné, le Christ
renié par Pierre, flagellé, déposé au tombeau, et
son bras levé vers Matthieu qui sépare la lumière
et les ténèbres, qui conçoit comme un peintre la
matière des choses, un mélange, une pâte, un
prisme, et avec les couleurs voici de nouveau le
visible en extase, la joie d'un Amour victorieux,
la main de sainte Ursule caressant la flèche qui la
transperce, saint François s'évanouissant entre les
bras d'un ange, puis de nouveau Isaac, Salomé,
Judith, la Vierge et l'Enfant, Jean-Baptiste, des
draps rouges, des draps blancs, un crâne et des

feuillages, la chair qui en jouissant éclaire notre vertige, une pluie dorée imprégnant un corsage, une semence inconnue qui se mêle aux pigments et fait naître la peinture ; et à travers tous ces corps, toutes ces choses, une seule lumière, discrète, insistante, *sacrée*, qui prend mille apparences et ne brille que pour vous, l'éclat de l'être l'aimé qui s'annonce et disparaît en silence, comme font les dieux, les déesses, et qui, en se dissipant dans la fatigue de cette nuit, vous comble, comme le plus réussi des baisers.

Ce tourbillon d'étincelles dura jusqu'au matin. À l'aube, la jeune femme n'était toujours pas rentrée. Je rassemblai mes affaires, fermai mes livres, pris son bagage et le mien et descendis à la réception où l'on me dit que personne ne l'avait vue. Je réglai, laissai un mot pour elle et pris le chemin de l'aéroport.

# CHAPITRE 11

## *Je cherche la perle*

J'ai continué pendant des années à penser à Judith. En écrivant des livres, l'énigme de mon désir n'a cessé de s'élargir : je cherchais la perle. Celle qui ornait l'oreille de Judith était nouée par ce ruban de velours en forme de papillon noir qui lui donnait de petites ailes. Et je m'étais mis, au fil des années, à y voir la figure même des nœuds qui composent le désir. On croit qu'il faut absolument dénouer son désir pour qu'il parvienne à la clarté, mais rien n'est plus limpide qu'un nœud de papillon : il signe clairement sa jouissance.

J'avais d'abord rêvé de dégrafer les nœuds qui serrent le corsage de la belle tueuse (leur couleur verte appelait l'effeuillage) ; puis c'est la perle elle-même qui ouvrit une trajectoire brûlante dans ma vie : non seulement je l'associais à Judith dont elle était le signe, mais elle évoluait seule dans mes rêveries, comme une forme parfaite, comme une parole toute ronde dans la nuit.

J'avais trouvé dans Claudel une phrase merveilleuse sur la perle : « cette babiole nacrée, ce pétale, ce pur grêlon, comme ceux dans le ciel que conçoit la foudre, mais d'où émane, comme d'une chair d'enfant, une espèce de chaleur rose ».

Cette chaleur rose, je la connaissais. Tous ceux qui cherchent la perle en possèdent déjà le goût. L'ont-ils perdue ? Ce n'est pas sûr. Il arrive qu'on recherche la goutte qu'on a déjà bue, et que notre désir de nuance soit sans fin.

La perle à l'oreille de Judith, en poussant dans ma vie comme une graine, m'avait ouvert à la peinture : celle du Caravage, celle de tous les peintres ; et c'est tout un monde qui miroitait à présent dans ma tête, comme une constellation de pierres précieuses ; cette parure qui habille la gorge d'une femme aimée et vous illumine comme si vous ne cessiez d'en recueillir la faveur vous ouvre à une abondance qui n'a plus de nom, une opulence qui déborde l'univers, une offre sans limites, incompréhensible, à laquelle on ne peut répondre que par un consentement glorieux, lui-même incompréhensible, comme si *l'eau se changeait en vin*.

J'avais lu ça dans Cézanne, et c'était fou : « L'eau changée en vin, le monde changé en peinture. » Pourquoi ce vieil enragé de peintre en appelait-il, à travers ses toiles si violemment profanes, exclusivement pétries de matière, au mystère de l'eucharistie ? C'est une des questions qui me font écrire ce livre : un monde comme le nôtre, dont s'est retiré Dieu, s'éclaire pourtant à sa lumière : si l'on met Dieu hors jeu, on ne parcourt plus qu'une planète éteinte – on n'en perçoit que le ravage. Même absent, il provoque ce vertige qui nous lance vers le langage : le sacré s'allume avec le trou que la solitude de Dieu, devenue notre image, ouvre dans le réel.

Quand j'écris, je vois le monde en feu. Le visible brûle, et de grandes joies gratuites se révèlent : ce qui meurt doit mourir, ce qui doit naître naît.

*L'eau changée en vin, le monde changé en peinture* : c'était ce miracle vers lequel je tendais, il viendrait un jour et il était déjà là, comme le temps que nous promettent les Évangiles. Car je l'avais aperçu dans la perle de Judith qui était cette eau changée en fruit de nacre, et sa grâce me disait avec assurance qu'il est bon de s'en remettre à ce qui nous déborde de toutes parts : à cette forme inouïe du désir qu'on appelle l'adoration.

Voilà, j'avais donc la perle, je l'avais depuis le début, mais je devais partir à sa recherche ; me mettre en route et trouver l'ouverture qui me la donne. C'est l'histoire de nos vies : il y en a qui, à bout de forces, rejoignent l'allégresse en léchant une goutte de rosée qui suinte le long du mur de leur prison ; d'autres épuisent en eux inlassablement tous les poisons et s'infligent une punition qui les assèche parce que la perle leur semble insuffisante ou au contraire les effraie ; mais à mes yeux, accrochée à l'oreille de la belle Judith, et diffractée partout dans l'histoire de la peinture en éclats, en détails dont je collectais chaque épiphanie, la chose étincelait comme une annonce ; elle m'assurait qu'il existe une part qui échappe au crime, et que cette part, inaperçue de ceux qui ont le cœur épais, s'adresse en partage à tous ceux qui aiment les nuances et savent y apercevoir ces petites lumières qui composent le nom secret de l'indemne. Les pierres précieuses ont leur mystique ; elles indiquent un monde caché où le trésor scintille.

C'est là, dans les reflets de la nacre, que je contemplais un avenir intact ; c'est là que je m'étais mis à ciseler des phrases qui portaient mon espérance et devaient s'introduire *ailleurs qu'en enfer*. Est-ce un paradoxe (ce paradoxe est ma vie) : c'est grâce au lobe adorable d'une femme « fort déshabillée », comme on dit dans Rimbaud, que j'ai commencé à diriger ma vie vers l'indemne. Je sentais confusément que l'érotisme me dégagerait du cauchemar de la société ; et qu'il m'ouvrirait à ce paradis de la chair qu'est la vie vécue selon la peinture : lorsque de grands nus s'allongent sur un divan et nous adressent leur volupté, comme font la Vénus de Vélasquez jouissant en son miroir ou les baigneuses de Renoir aux seins roux, aux croupes fauves, aux hanches pulpeuses, lorsque les traits rouges de Twombly giclent sur la toile comme de la cyprine, nous voici arrachés à l'angoisse. Je le sentais, j'en étais sûr, c'était ma vie : la peinture et l'écriture avaient à voir avec le monde qu'ouvrent les étreintes sexuelles.

# CHAPITRE 12

## *La prairie amoureuse*

Que cherche-t-on à voir ? À quelle nudité désirons-nous accéder ? Ce pays chatoyant où l'on capture des éclairs érotiques est aussi celui où la lumière se révèle pénétrable, comme l'âme. Dans la peinture, aucun objet convoité ne se dérobe ; au contraire, il se donne en un instant, réputé insaisissable, qui prélude à la consécration : des figures peintes, toutes féminines, répondent à mon désir par l'effusion qu'elles préparent. Il n'y a pas de voile. Tout est ici, *exposé* ; et si nous regardons bien, les portes nous seront ouvertes.

Je plongeai ainsi dans la peinture comme on pénètre dans une orgie : avec l'innocence de celui qui veut tout, Éros et la grâce, la jouissance et le sacré. On se jette dans les tableaux, les uns après les autres et tous en même temps ; on devient insatiable, et comme il n'y a ni commencement ni fin, on se trouve à chaque instant récompensé.

Si, dans ce tumulte écarlate, les figures violentes de Poussin, Delacroix, Van Gogh et Bacon me parlaient avec tant de clarté, c'est parce que j'en attendais une transparence qu'on ne demande qu'à l'amour : la fureur qui soulève le rideau de la tente où Judith s'est introduite avec sa servante pour y couper la tête de l'ennemi raconte un combat immémorial : il faut, pour s'accorder à la vérité qui nous anime, liquider le monstre qui vous en interdit l'accès.

J'appris que le Caravage avait d'abord peint Judith nue, et que sa poitrine fut recouverte ensuite, à la demande de son commanditaire. Ses seins étaient-ils si beaux qu'on fût obligé de les cacher ? Ou peut-être brouillaient-ils le message biblique en attirant l'attention sur les attraits irrésistibles d'une femme qui, avant tout, se sacrifiait en tuant pour son peuple. Je souriais : le Caravage avait installé ici, comme partout dans ses tableaux, une dimension équivoque, dans laquelle je prenais plaisir à évoluer librement. Et puis je l'avais toujours su : si, aux yeux du monde, Judith était habillée, moi, je la voyais nue.

Je ne pensais pas qu'à Judith : durant toutes ces années, je contemplais les joues roses et dorées des Madones de Bellini, les saintes aux mains pâles de Fra Angelico, l'arabesque acidulée des servantes et des princesses de Ghirlandaio, les petits visages opalescents, toujours au bord de s'éteindre, des paysannes de Corot, l'onctuosité fatale des courbes de la *Maja desnuda* de Goya, les grandes chairs voluptueuses des lesbiennes de Courbet et la carnation démoniaque des nymphettes de Balthus avec le même appétit ; j'en tirais à la fois du feu et du lait : la dose de tendresse qui comble la chute dans l'existence, et l'extase qui sans cesse nous fait renaître. Cette immense étendue charnelle en laquelle j'identifiais la peinture me prodiguait d'un même élan l'excitation et l'apaisement.

J'étais passé maître dans l'art de discerner, au premier coup d'œil, même à travers les touches les plus rageuses et les coloris les plus cinglants, une sorte de bonté ; et au cœur de cette bonté, un point vibrant qui donne accès à ce pays qui n'est pas tout à fait le nôtre, où l'amour est à la fois le royaume et la clef du royaume.

J'avais lu dans l'*Iliade* qu'à un moment de la bataille de Troie, à ce point de saturation où la violence met tous les êtres en proie – où l'innocence et le massacre ne se distinguent plus –, les dieux font l'amour. Héra parvient à détourner Zeus des combats ; le cœur ouvert par le désir le plus doux, il refuse de la suivre dans la chambre nuptiale, mais l'invite à faire l'amour sur le sommet de l'Ida, là où le gazon, enveloppé d'une nuée d'or, est baigné de rosée. Des fleurs croissent dans cette prairie : le safran, la jacinthe, la violette, la rose. C'est elles qui teignent les vêtements d'Aphrodite. Ainsi les amants font-ils l'amour dans l'élément même qui colore la déesse : lorsqu'ils s'étreignent, ils rencontrent la divinité – ils s'imprègnent de sa couleur.

Juste après la révélation de Rome, et ma rupture avec la fille au visage d'ange, à cette époque où j'ai commencé à me nourrir de peinture, où ses étincelles colorées n'ont plus cessé de me parvenir, il m'est apparu comme une évidence que celle-ci portait en elle la mémoire et le désir d'une scène aphrodisiaque : en regardant un tableau, même le plus tourmenté des Caravage, j'apercevais dans ses pigments la teinture du linge d'Aphrodite. Je n'avais aucun mal à déceler, sous la tempête du clair-obscur et les enroulements dramatiques de l'ombre, l'empreinte du safran, de la jacinthe, de la violette, de la rose ; il suffisait parfois d'une minuscule tache dans la nuit pour que cette poudre rouge et bleu, concassée dans la matière noire, se mette à reluire dans les tableaux du Caravage et m'indique la prairie : les miroitements d'une grappe de raisins, le pan large et serein d'un manteau évangélique, le sourire éclatant d'un jeune homme nu qui enlace un bélier, la jambe d'un cheval qui évite de piétiner son cavalier désarçonné, un étrange reflet blanc dans le miroir de Madeleine, et même cette eau lourde et voilée qui baigne les yeux de Salomé se détournant avec tristesse de la tête du Baptiste qu'elle a fait couper.

Autrement dit, je voyais partout de l'amour. Fût-elle vouée à figurer des horreurs, la peinture, *depuis sa poudre*, transmettait à mes yeux quelque chose de plus décisif, qui s'ancrait dans le jardin d'Aphrodite. Et peu m'importait à cette époque la nature de cet amour, qu'il fût païen ou catholique, trivial ou gorgé d'une pureté qui vous tire des larmes : à travers ses éclaboussements de rouge ou la pensivité discrète de ses lueurs, il me disait que la peinture voit plus loin que notre écrasement dans ce mauvais rêve qu'on nomme l'humanité ; il me chuchotait que *le monde peint* a partie liée au royaume, et qu'en un sens il est lui-même le royaume : même sous la forme d'une pauvre goutte, d'une flamme de lait piquée à l'oreille d'une femme qui accomplit un geste terrible, la lumière fait signe, voilà ce que me disaient le Caravage, ou Rembrandt ou le Titien.

La lumière dont vous cueillez des éclats dans la matière de ces rectangles où des corps vibrent et se déchirent vous indique la possibilité du jardin, de la prairie amoureuse ; elle vous rappelle que, en dépit de la pesanteur qui nous enfonce, le monde se raconte depuis une promesse qui l'illumine en secret.

La perle de Judith a été la goutte qui allume pour moi l'esprit ; et je suis loin d'en avoir fini avec sa nacre : depuis trente-cinq ans brille en elle *ce qui me tient à cœur*.

# CHAPITRE 13

## *Saint-Louis-des-Français*

Dix ans plus tard, je reviens en Italie. Nous sommes en septembre 2008, j'ai réussi le concours de l'Académie de Rome et deviens pensionnaire à la Villa Médicis. Les jardins, les palais, les églises : dès le premier jour, tout se met à vibrer dans un parfum d'orangers ; ma joie est sans limites ; j'exulte en traversant les jardins de la Villa, et le soir, tandis que les étourneaux virevoltent autour des pins parasols, en me penchant par-dessus la terrasse des oliviers, je contemple à loisir la forme des collines, les toits de la ville et le dôme de Saint-Pierre : il me semble enfin que j'ai une âme ; ou plutôt qu'elle a trouvé son lieu.

Le premier matin, il est cinq heures, je me réveille en sursaut, enivré par une brise citronnée qui se répand jusqu'à ma chambre. Je sors dans le jardin et assiste à l'arrivée de la lumière sur le mur d'Aurélien, dont les briques s'embrasent, orange, violettes, ocre ; les rayons s'estompent et cette lueur bleu-rose qui est l'air véritable de Rome envahit le fond du parc.

Les neuf pins parasols qui entourent le bungalow où je vais vivre pendant un an forment une couronne au-dessus de ma tête ; je prends cet augure avec joie et gratitude : voici que je cours dans l'allée des Orangers et dévale les escaliers de la Villa ; il y a, pour sortir, une grosse porte étroite et basse, d'allure féodale, qui s'ouvre avec lenteur ; on doit se baisser et glisser son corps dans l'ouverture : alors la ville se donne – d'un coup, et tout entière –, et c'est une joie d'être soudain seul à Rome, à six heures du matin, et de plonger dans le jour qui s'ouvre.

Aller voir Judith, là, tout de suite ? Impossible, il est trop tôt, le Palazzo Barberini n'ouvrira qu'à dix heures. Voici que je dévale la Via di San Sebastianello, une ruelle qui serpente jusqu'à la Piazza di Spagna encore déserte, puis ce sont les petites rues du Campo Marzio, tout un labyrinthe de venelles pavées jaune et rose, et c'est le Panthéon encore endormi, sans touristes, et me voici aux portes de l'église Saint-Louis-des-Français. Il n'est pas sept heures, la douceur de la lumière s'est déversée à mon passage de rue en rue : j'étais redevenu cet enfant qui, dans Rimbaud, en courant sur les quais de marbre, parmi les clochers et les dômes, réveille les haleines vives et tièdes et lève un à un les voiles de la déesse.

J'entrai à Saint-Louis-des-Français. Il y avait une messe. On était aux petites heures ; c'était *prime*. Quelques femmes étaient agenouillées dans les chapelles latérales ; et seul le prêtre, courbé face à l'autel, récitait son office. Je me dirigeai sans bruit vers la gauche, en direction de la chapelle Contarelli, où le Caravage, entre 1599 et 1602, a peint trois tableaux sur la vie de saint Matthieu.

On n'y voyait rien. J'ai introduit une pièce d'un euro et tout s'est illuminé, comme la grande flamme d'un crépuscule ocre et brun. C'est venu de partout à la fois, en un paquet de lueurs qui ont rué comme des pur-sang ; et lâchés dans ce minuscule espace clôturé de marbre, ils se cognaient les uns contre les autres.

Qui a dit que la couleur noire est commune aux plus grands fauves et au vrai feu ? C'est vrai que les corps du Caravage possèdent un éclat sauvage qui les jette dans une existence plus tendue, plus crue, plus belle aussi que toutes celles que nous partageons ; et malgré le geste du Christ que je commençais à distinguer dans la cohue des formes (un geste impérieux qui, en désignant Matthieu, là-bas, au bout de la tablée vénale, envoie sa bénédiction sur ce réduit mal éclairé et le peint de sa propre lumière) ; malgré la solennité pacifiée de cet instant qui à présent se suspendait dans un clair-obscur aussi fragile que la lueur émanant d'une bougie et aussi rigoureux qu'une prière, c'était indiscutable : il y avait un fauve là-dedans, un fauve contenu dans les coloris, une violence qui déchirait la lumière et les ténèbres, dont l'affrontement d'un tableau à l'autre se révélait le grand sujet de ce drame qui raconte en trois parties la vie de saint Matthieu, c'est-à-dire sa vocation, son inspiration, son martyre.

# CHAPITRE 14

## *Le bras du Christ*

Des lignes se jettent sur vous, la peinture s'organise, des couleurs s'embrasent sur la gauche, sur la droite, en face ; et voici qu'une houle de visages se précise, le tourbillon se fixe, et vous discernez d'un côté le crime, et saint Matthieu qui s'écroule ; de l'autre le salut, et le Christ qui vous appelle ; enfin, au milieu, si vous levez la tête, il y a un ange qui veille sur l'Évangile en train de s'écrire.

La lumière s'est éteinte. J'ai remis une pièce. De nouveau la lumière. Là, j'étais prêt : tout de suite j'ai vu la table contre un mur sous une fenêtre ; et autour de la table une grappe d'humains, serrés devant une écritoire, un livre de comptes et des pièces de monnaie ; sur la droite, proportionné au rayon de lumière oblique qui fait naître l'espace, le Christ, élégant et furtif, presque caché, à peine là, et pourtant impérieux, le bras tendu vers l'un des types autour de la table qui lui-même se désigne, l'air de dire, étonné : « Moi ? »

Ce qui saute aux yeux, lorsqu'on découvre pour la première fois les tableaux de Saint-Louis-des-Français, c'est bien sûr le jeu violent des contrastes. C'est le début de l'Évangile de Jean, et c'est la vie qui est donnée au monde : la lumière *tranche les ténèbres*. Un biographe ancien affirme ainsi que le Caravage imagina ces ombres vigoureuses pour « donner du relief aux corps » ; mais le grand historien d'art Roberto Longhi, qu'à cette époque je lisais avec passion, conteste cette théorie selon laquelle le Caravage ne ferait que prolonger l'apologie du corps humain sublimée par Michel-Ange : et il est vrai que toute l'illumination qui anime *La Vocation de saint Matthieu* rompt avec la Renaissance ; l'événement d'une telle peinture ne relève pas du « relief des corps », mais, dit Longhi, de « la forme des ténèbres qui les interrompent » : le couteau qui peint est sauvagement évangélique – il tranche.

Et n'est-ce pas le bras du peintre lui-même qui, déchirant la pénombre, entre avec son pinceau dans la substance du monde pour y diffuser sa lumière ? Un éclair abrupt vient ici de la plus grande douceur : l'appel du Christ s'égale à celui de la peinture qui fouille dans les ténèbres afin d'en révéler les déchirures ; fini les fresques pâlottes, les sublimations éthérées : l'événement spirituel coupe en deux la réalité.

N'est-ce pas la structure du monde qui est soudain dévoilée ? Les hommes se serrent autour de l'argent et sont tellement aveuglés par la valeur qu'ils continuent à compter et ne lèvent pas les yeux lorsqu'un dieu vient à passer : le salut – c'est-à-dire *ce qui échappe au calcul* – ne vient pour personne. Au fond, ils ne veulent pas être sauvés : rien de gratuit ne les intéresse, seul existe ce qui se compte.

Toujours, avec le Caravage, me reviennent des phrases de Rimbaud ; dans les *Illuminations*, au cœur de ce qu'il appelle « l'immense opulence inquestionnable », apparaissent les « Corps sans prix ».

Sortir de l'enfer, ne serait-ce pas soustraire sa vie, et avec elle la vérité de son âme et de son corps, à *l'économie des ténèbres* ?

La lumière s'éteignait, je mettais une pièce, il me restait à peine trois euros, je n'avais plus que quelques minutes devant moi, mais peu importe : l'instant qui vous frappe lorsque vous laissez ce tableau vous envisager tout entier relève du même éclair que déclenche la main du Christ ; c'est un grand silence qui s'étend à votre vie. Vous voici arraché au souci de l'argent, à la futilité des obsessions, à toutes ces contraintes dont vous croyez avoir besoin et à ces passions qui vous égarent. Une clairière s'ouvre dans cette chambre aux murs ocre et bruns qui est maintenant la vôtre : vous y êtes seul – vous n'appartenez plus qu'à la solitude. La monnaie a disparu, les compères aussi ; il n'y a plus que la table et de quoi écrire.

Se trouver là, dans une telle proximité avec le passage du divin, c'est trouver le silence.

Car s'il est vrai qu'on ne voit le tableau que de biais, et qu'il faut se contorsionner parce qu'une barrière interdit l'entrée dans la chapelle, on se retrouve pourtant face à lui, et qu'on le veuille ou non, si l'on ne se détourne pas du silence, on endure bel et bien la violence d'un appel : c'est vous que la lumière désigne.

Alors vous pouvez toujours jouer l'étonnement ou, comme ces petits personnages avec leurs chapeaux à plumes et leurs costumes chamarrés de pourpre et d'or, vous réfugier dans l'indifférence blasée de ceux qui ont toujours mieux à faire, qui sortent d'une fête ou préparent une bonne affaire, rien n'y fait : la main levée du Christ qui rompt les ombres du tableau, son index languissant, tendu mollement vers une direction qui ne se discute pas, la noblesse même de son visage au regard voilé, son auréole si fine qu'elle s'estompe dans l'imperceptible, tout cela – la passée furtive du dieu, la douceur souveraine –, c'est pour vous.

Il est à peine là, mais qui peut l'être plus que lui ? Et vous, êtes-vous quelque part ?

# CHAPITRE 15

*À qui la vocation s'adresse-t-elle ?*

Étais-je, sous l'émotion de la peinture, en train de répondre, comme le collecteur d'impôts Lévi se changeant en Matthieu par la grâce d'un appel, à la sollicitation de ce dieu (sollicitation d'autant plus belle qu'elle n'exigeait aucune soumission, juste un assentiment) – ou me semblait-il plus séduisant, plus libre d'aimer, de ne pas aimer, de trouver ou de me perdre, de savoir et de ne pas savoir, de traverser l'erreur autant que la vérité, de continuer à errer, pourquoi pas de souffrir, et d'endurer le passage non seulement du dieu mais des démons, d'accueillir l'entièreté de ce qui vient, chaque jour, chaque nuit, la joie et la douleur, même le pire ?

Je n'ai jamais eu peur de la parole, ni de l'entendre, ni de la prononcer ; mais qui peut affirmer que son cœur est ouvert ?

Je ne désirais me soustraire à aucun appel ; il me semblait même avoir aperçu combien celui du Christ coïncidait avec la naissance de l'écriture en moi, naissance perpétuelle, que chaque phrase remettait en jeu, et qui ne cessait d'approfondir, à travers des expériences poétiques, une lumière qui me rapprochait d'elle-même.

Voilà, mon coup de foudre pour le Caravage me confirmait à quel point la *vraie vie* consistait à s'ouvrir à une parole qui vous nourrit, à lui offrir votre corps, à vous laisser traverser par cette expérience, et à écrire.

Était-ce le royaume ? Il m'était impossible, à l'époque, de le savoir : le goût de la parole me rassasiait, voilà tout ; les phrases constituaient mon pain quotidien ; et la peinture m'en racontait la parabole inlassable.

Je n'avais plus de pièce de monnaie. Juste avant que la lumière ne s'éteigne, je jetai un coup d'œil au *Martyre de saint Matthieu*. Requis par la *Vocation*, je l'avais très peu regardé. Voici que je remarquai, à l'arrière-plan, parmi les témoins du crime, le visage douloureux du Caravage.

Lorsqu'il peint ce tableau, il n'a que 28 ans, il est barbu, avec les cheveux longs, le pli de sa bouche est amer ; celui dont on verra dans quelques années l'horrible tête sanguinolente brandie par un David au torse nu est encore ici tendu par la violence de vivre, mais l'affliction qui tire ses traits semble déjà celle d'un vieux pécheur. Presque effacé dans la nuit, tout au fond de son tableau, il se tourne vers l'abomination. Éprouve-t-il du dégoût ou de la compassion ? On dirait plutôt de la honte : celle d'appartenir à l'humanité capable d'un tel crime. Certains commentateurs, observant ce tableau, affirment que le Caravage se détourne d'une scène qui l'effraie, et qu'en fuyant il témoigne de son impuissance. Possible, mais ne s'est-il pas au contraire glissé de lui-même dans une scène dont il cherche à endurer l'inacceptable noirceur ? Le Caravage est l'un des rares peintres qui regardent la mort en face, l'un des seuls à témoigner de la criminalité irrémédiable de l'espèce humaine.

Voici donc l'homme qui a peint cela, un homme qui, méditant une scène du 1er siècle après Jésus-Christ – un moment de la Révélation raconté dans *La Légende dorée* –, s'y incorpore et n'en finit pas de mesurer son abandon : la peinture est la manière qu'a trouvée la pensée de s'incarner spirituellement ; peindre, c'est entrer dans un plan où les figures de la Passion s'adressent à nous, où nous croisons Matthieu, le Christ, la Vierge ou le roi David, où l'histoire du salut et celle du crime, qui s'accomplissent dans tous les temps, se déroulent sous nos yeux.

Et comme j'observais ce tableau de biais, j'eus la chance de remarquer, en un éclair, que le visage du Caravage dans le *Martyre* et celui du Christ dans la *Vocation* se faisaient face : ils étaient disposés en miroir l'un de l'autre. Je compris que la chapelle Contarelli avait été secrètement pensée par le Caravage comme le lieu de son dialogue personnel avec le Christ ; et que peut-être il avait choisi d'incarner son rapport avec celui-ci par la distance même qui sépare un tableau de l'autre : dans le vide de la chapelle, qui se remplit aussi bien de notre proximité avec le Christ que de notre éloignement.

Car l'appel mis en scène dans la *Vocation* ne s'adresse pas seulement à Matthieu : le Caravage lui-même est visé, et si dans le tableau qui lui fait face il se détourne un peu, si son regard se noie dans une souffrance que déjà l'humilité réfrène, c'est parce qu'il ne peut endurer la Révélation : il est impossible de s'abandonner aux bras du Christ lorsqu'on est à ce point tourmenté par le péché.

La lumière s'éteignit dans la chapelle, qui plongea dans l'obscurité ; je m'éloignai. J'étais troublé par cette découverte d'une piété, fût-elle malheureuse, du Caravage, car la légende qui s'est propagée depuis quatre siècles autour de son nom insiste sur sa vie tapageuse de mauvais garçon, de criminel en fuite, de noceur à la sexualité débridée : « un démon dans le sens Villon-Sade-Rimbaud », va jusqu'à dire le poète italien Ungaretti, dont on sent l'admiration très humide.

# CHAPITRE 16

## *Le saut ardent vers l'intérieur*

Voici donc que, après des siècles de peinture à louange, quelqu'un, en 1600, est capable d'entrer à la force du pinceau dans la matière du mal et, comme le Christ, de tendre son bras pour donner forme au partage de la lumière et des ténèbres ; mais cet homme au visage de hibou déchiré sait que son âme brûle de contradictions qui le rejettent loin du salut. D'ailleurs, s'il accueillait dans sa vie la Révélation, si la foi, en apaisant ses tourments, lui ouvrait les mystères du royaume des cieux, sa peinture n'en deviendrait-elle pas muette ? Aurait-elle encore une nécessité ? A-t-on besoin de peindre dans le Royaume ?

Ce sont des questions « trop grandes pour nous », comme dirait Deleuze : car il y va de l'amour, et de sa nature secrète ; il y va *des choses cachées depuis la création du monde.*

L'offre du Christ ne se refuse pas : comment, dès lors qu'on distingue sa main tendue dans le noir, pourrait-on décliner un tel don ? Qui ne voudrait être *délivré du mal* ? Qui refuserait d'être enfin libéré des démons ? En même temps, n'est-il pas impossible humainement de s'ouvrir à l'infini : qui donc en a la capacité ? Si je rejoignais le Christ, j'en mourrais ; mais je sais qu'il s'agit précisément de cela : mourir pour renaître.

Oui, trop grand pour moi : il me fallait encore faire du chemin pour accomplir ce « saut ardent vers l'intérieur » dont parle Maître Eckhart. Je me disais : un artiste n'est-il pas quelqu'un qui évolue nécessairement dans ce libre intervalle ouvert entre les créatures et le doigt de Dieu ? Qui endure la béance et habite ce lieu inconditionnel entre la divinité et le néant ?

En tout cas, c'est à travers une telle béance que se donne le visible en feu (et aussi l'invisible qui s'y brûle sans se consumer) – c'est-à-dire ce qu'on voit dans la petite soixantaine de tableaux du Caravage éparpillés de par le monde : des sacrifices, des extases, des heures saintes et des mises à mort, toute l'histoire de la solitude, toute l'histoire de la vérité, et leurs torsions dans le noir.

Ce monde inconnu en chacun de nous que le jeu de l'ombre et de la lumière engage nous est soudain remis comme un surcroît du visible, confié comme une chose impossible à déceler autrement qu'à travers le battement d'une clarté dans la nuit, et sans autre forme que celle qui s'entrouvre à l'intérieur de ce battement ; car vous, je ne sais pas, mais moi c'est mon histoire avec le Caravage qui me le dit : un lieu retiré de tout visible ne cesse de faire entendre sa présence à l'intérieur de moi comme à l'intérieur de la peinture, étranger à toute forme, et qu'aucune figure ne peut contenir.

Je sortis de Saint-Louis ivre de pensées. J'allais vivre ainsi pendant un an, avec les Caravage à portée de main. J'allais m'ouvrir chaque jour de plus en plus à la piété sublime et sombre d'un peintre dont les batailles et les déchirements me parlaient, comme s'ils s'adressaient à moi ; car j'avais la certitude, bien sûr extravagante, que ces instants face aux peintures de la chapelle Contarelli m'avaient *désigné* ; et si j'avais été désigné, c'était moins par le Christ que par le Caravage, par sa peinture, afin d'approfondir l'aventure de ma vie sous son signe. Comme Matthieu étonné d'être élu, je tournais l'index vers ma poitrine : « Moi ? »

# CHAPITRE 17

## *La vie du Caravage*

J'aimerais parler de l'expérience intérieure du Caravage ; pas seulement du feu qui anime son esprit, mais de ce qui a lieu lorsqu'il peint : de la vérité qui s'allume dès qu'un homme comme lui avance son pinceau vers une toile.

Les nuits blanches, les coups de foudre, l'exigence et les idées fixes, le désir sexuel, le vertige des trouvailles, les victoires secrètes, les milliers d'heures à regarder la toile, la rage et le découragement, l'obscurité soudaine et les sauts d'harmonie inouïs, les crises, les maladies, la torpeur, la frénésie, les engouements et l'endurance, la fatigue, les cauchemars, la peur d'être damné, la peur d'être tué, la violence physique, l'ardeur mystique, la rigueur de l'étude, le désir de perfection, l'ivresse et les débordements, l'amour extrême et l'extrême solitude : tout cela est-il racontable ?

Il y a une phrase du grand penseur franciscain Jean Duns Scot que je me répète depuis des années, et à laquelle je mesure tout : « Être une personne, c'est connaître la dernière des solitudes. » S'il y a quelqu'un sur cette terre qui a connu *la dernière des solitudes*, c'est bien le Caravage.

La vie des peintres est souvent tragique, parce qu'elle rejoue celle de la matière, qui crée des mondes et se décompose ; celle du Caravage est violente, brève, rapide : né en 1571, mort en 1610, il ne vit que trente-neuf ans. Originaire de Lombardie, dans le Nord de l'Italie, il se déplace sans cesse : Rome, Naples, puis Malte et la Sicile, et de nouveau Naples. En un peu plus de quinze ans, il peint une soixantaine de tableaux qui changent l'histoire du monde, séjourne plusieurs fois en prison (parfois, s'en évade) et, après avoir tué un homme, endure la vie des fugitifs. Protégé par une famille noble (selon certains historiens, il en serait peut-être un membre illégitime), aidé par des cardinaux et de nombreux mécènes qui collectionnent ses œuvres, son succès est aussi fulgurant que sa vie malheureuse.

On dit qu'il était irascible, impulsif, arrogant ; et qu'il ne cessait de se battre. Il fut le peintre le mieux payé de son temps ; et comme tel fut la proie de rivalités incessantes ; on le jalousait, il répliquait violemment ; on s'arrangea pour que la postérité réduisît son talent ; il surclassait ses collègues et choquait le goût de l'époque ; ses tableaux furent parfois décrochés des églises ; il fut souvent malade, blessé, fiévreux ; et s'il lui arriva d'être hébergé dans un palais, il préférait la vie des tavernes, le désordre des bouges et la fréquentation des putains à celle des prélats (il savait séduire aussi bien les uns que les autres) ; malgré son succès, et l'argent qu'il tirait de ses tableaux, il mourut pauvre, malade, absolument seul, comme un misérable (ainsi son cadavre fut-il jeté dans une fosse commune).

On ne possède aucune lettre de lui, juste une signature, mêlée au sang de Jean-Baptiste, au bas d'un grand tableau qu'on peut admirer dans la cathédrale de La Valette, à Malte, où il vécut entre 1607 et 1608.

Il était le contemporain de Shakespeare, de Cervantes et de Monteverdi ; il peignait sans dessiner au préalable (et lui seul procédait ainsi) ; son atelier était entièrement noir, et ses modèles, trouvés dans la rue, se tenaient dans la pénombre ; il aimait les couteaux, les poignards, les épées : se vouer aux formes qui se disputent les ténèbres et la lumière implique d'être tranchant.

C'est le seul peintre de cette ampleur à avoir commis un crime ; et Stendhal, fasciné pourtant par les homicides, et grand connaisseur de la peinture italienne, y voit une raison pour le trouver négligeable. Mais beaucoup d'autres l'ont trouvé gênant, excessif, déplorable – Nicolas Poussin ne déclarait-il pas que le Caravage était venu pour « détruire la peinture » ? (On a découvert depuis que Poussin, en secret, en était admiratif et avait scrupuleusement copié *La Mort de la Vierge*.)

D'ailleurs, ses premiers biographes, Mancini, Baglione, Bellori, qui l'avaient plus ou moins connu, étaient avant tout des rivaux vexés, c'est-à-dire des ennemis, qui mirent sournoisement du sable dans l'engrenage de sa postérité en l'accusant de « déprécier la majesté de l'art », de « mépriser les belles choses » pour s'adonner à « l'imitation des choses viles ».

Ce triple zèle dans la malveillance contribua à officialiser la mauvaise réputation d'un Caravage qui n'eut jamais aucun défenseur, et dont la postérité fut ainsi biaisée d'entrée de jeu ; on lui attribua en effet un nombre exagéré de tableaux (et parmi eux, la moindre scène de beuverie, la moindre trivialité noirâtre) afin de réduire son génie en le diluant dans une abondance médiocre. Ainsi, contrairement à la plupart des grands peintres, qui bénéficient traditionnellement des vertus de l'hagiographie, fut-il privé de reconnaissance : on l'oublia pendant deux siècles.

Ce n'est qu'à la fin du xixᵉ siècle, grâce à des peintres comme Courbet et Manet, qui rouvrent nos yeux à la vérité d'un monde débarrassé de tout idéalisme, que nous sommes redevenus capables de voir sa peinture, et qu'en toute logique il recommence à exister à nos yeux. Mais Élie Faure en parle à peine dans son immense et géniale *Histoire de l'art* ; André Malraux, dans *Les Voix du silence*, en fait quant à lui un simple précurseur de Georges de La Tour ; et même Georges Bataille, qui a pourtant écrit un livre fulgurant sur Manet, et dont l'œuvre entière s'ouvre à cet abîme où mort, extase et sacré récusent le « cauchemar global de la société », ignore le Caravage. Même *Les Larmes d'Éros,* son dernier livre, où se trouvent stockées les images de la culture occidentale qui font coïncider ce qu'il nomme la « vie religieuse » avec cette « pleine violence qui joue à l'instant où la mort ouvre la gorge de la victime », *oublie* le Caravage, alors qu'un tableau comme *Judith décapitant Holopherne,* sans parler des représentations de David et Goliath ou de la tête de Méduse auraient sans nul doute, s'il les avait connus, passionné cet amateur d'Éros cruel qu'est Bataille (et s'il me plaît à moi d'imaginer la rencontre entre Bataille et le Caravage, alors ce livre en sera l'impossible document).

# CHAPITRE 18

## *Le point de solitude*

À la rapidité de la vie du Caravage, il serait agréable de répondre par un récit express : on raconterait alors qu'après une enfance passée entre Caravaggio et Milan où il apprend à peindre auprès de Simone Peterzano, ancien élève du Titien, le Caravage arrive à Rome à 21 ans et qu'il y travaille dans l'atelier du Cavalier d'Arpin, où il est employé à peindre des fleurs et des fruits ; qu'en même temps il exécute dans son coin une série de demi-figures de garçons provocants et ironiques, pour la plupart déguisés en Bacchus, l'un mordu par un lézard, l'autre offrant des fruits, qui d'emblée atteignent au chef-d'œuvre ; puis le voici, vers 1595, au service du cardinal Del Monte, qui va le rendre célèbre. On lui commande en 1599 l'exécution des tableaux latéraux de la chapelle Contarelli de l'église Saint-Louis-des-Français autour de la vie de saint Matthieu ; puis ceux de la chapelle Cerasi à Santa Maria del Popolo, consacrés à Pierre et à Paul. Durant l'automne 1600, il est signalé plusieurs fois dans des bagarres, mais chaque fois ses protections le sauvent, et il continue à peindre ; il sera emprisonné en 1603, à Tor di Nova, puis relâché grâce à l'ambassadeur français. Il peint. On l'arrête pour insultes à la police, port d'armes illégal, agression physique, non-paiement de loyer, jusqu'à l'homicide de 1606, où, lors d'une rixe, le Caravage tue Ranuccio Tomassoni et s'enfuit pour échapper à la justice. Il se réfugie dans les collines d'Alban et de Sabine, où il peint, puis à Naples, puis à Malte, où il est fait chevalier de l'Ordre, et où il peint. Emprisonné à la suite d'une querelle, il s'évade, s'enfuit à Syracuse. Exclu de l'Ordre, il est poursuivi par les chevaliers. Il ne s'arrête jamais de peindre, sa cote est immense, où qu'il soit les commandes affluent. Messine. Palerme. Retour à Naples où il est grièvement blessé dans une nouvelle rixe. Le pape est sur le point d'annuler sa condamnation à mort. Il revient en toute hâte à Rome sur une simple felouque, aborde à Porto Ercole, y meurt d'infection.

S'il est tentant d'accorder la vie du Caravage à sa *légende* – qu'elle soit noire ou dorée, que son tragique flirte avec la vie des saints ou celle des hommes infâmes –, la cohérence du vitrail ou la limpidité du casier judiciaire sont également mensongères : le Caravage était un peintre, c'est-à-dire qu'il passait le plus clair de son temps dans son atelier, à jouer avec des ombres, à faire bouger des minuties, à concentrer son esprit, son cœur et son bras sur des choses infimes et grandioses ; raconter sa vie, fût-elle la plus tumultueuse de toutes les vies de peintres, implique ainsi de faire parler l'immensité obscure de ces journées sans témoin. L'essentiel des efforts d'un artiste – ses difficultés, ses réussites – réside dans une dépense d'énergie qui peut prendre des formes athlétiques ou contemplatives, mais qui toujours se dérobe à la trame d'un récit.

Pour que surgisse vraiment quelqu'un comme le Caravage – pour que l'intensité de sa vie vous soit transmise –, il ne suffit pas d'aligner les repères de sa biographie, ni même d'en agrémenter les reliefs et les trous : il faudrait s'ouvrir un chemin jusqu'à sa vie intérieure et trouver une manière de rejoindre le plus secret de sa personne.

Peut-on accéder à une telle intimité ? Témoigner pour ce qui, précisément, demeure sans témoin ? C'est sans doute un désir insensé, mais écrire une biographie n'a de sens qu'à se mesurer à cette part d'impossible qu'il y a dans le fait de vouloir *connaître quelqu'un* – et à l'impossible, dès lors que nous écrivons, nous sommes tenus.

Ce lieu vibrant qui en chacun de nous s'accorde à une vérité singulière et qui, chez le Caravage, prend figure indomptable et peut-être apaisée, c'est un point de solitude.

Un tel endroit en nous est difficilement situable : rien ni personne n'y a accès. La société, le bavardage, l'information sont incapables de s'en approcher ; soit ils n'en soupçonnent pas l'existence, soit ils en sont exclus par faiblesse : d'une manière ou d'une autre, *ils restent dehors*.

Le point de solitude n'est pas ce repli douillet où nous retrouverions du confort loin de la violence du monde ; plutôt un espace déchirant, difficile à supporter, où nous sommes libres et seuls, *indemnes* – c'est-à-dire non damnés –, où l'enfer n'a pas prise sur nous.

Une telle dimension, bien qu'elle reste le plus souvent inaperçue, scintille au cœur même de la littérature, car la parole enveloppe l'indemne ; mais peut-être s'exprime-t-elle aussi au plus profond de la peinture, non pas au travers de son éventuel sujet, mais bien après les couleurs et les formes, dans ce nid de flammes où la lumière et l'ombre, en se livrant une bataille sans merci, ne cessent de nous initier à ce qui échappe au visible.

C'est là – à cet endroit qui est le fond vibratoire, et peut-être infini, du tableau – qu'on commence à voir ce que voit un peintre comme le Caravage. Nos yeux, débarrassés des visions d'étalage, s'ouvrent alors sur cela même qui nous échappe : c'est là que nous existons enfin, c'est là que nous « venons en être », comme dit Pascal, c'est là que naissent l'écriture et la peinture.

Je pense à cette fable qu'improvise Lautréamont dans *Les Chants de Maldoror,* où le pou, « brigand de la longue chevelure », l'emporte sur de gigantesques animaux : « Malheur au cachalot qui se battrait contre un pou. Il serait dévoré en un clin d'œil, malgré sa taille. Il ne resterait pas la queue pour aller annoncer la nouvelle. L'éléphant se laisse caresser. Le pou, non. »

Autrement dit : même s'il semble dérisoire, et socialement inexistant, le point de solitude est plus important que la société ; c'est à lui que revient la victoire (les victoires sont toujours secrètes). Faire parler la solitude du Caravage implique qu'on en cherche l'inflexion dans la nôtre, dans le lieu où nous aussi nous sommes seuls, absolument uniques, c'est-à-dire dans nos phrases.

# CHAPITRE 19

## *Les yeux châtrés*

J'aime bien, dans les monographies consacrées au Caravage, les énoncés de ce genre : « *Il mena pendant plusieurs années une vie étrange et louche.* » Quelque chose de séduisant s'y donne, qui relève de l'intensité des romans d'aventures. Mais la liberté ne se résume pas d'un mot, et encore moins le mystère qui l'anime, dont les métamorphoses sont difficiles à dater.

De son vivant, le Caravage n'a cessé d'être critiqué ; cherchait-il à peindre pour trouver l'apaisement, chaque tableau relançait au contraire l'inapaisable ; il en conçut naturellement une férocité qui le faisait se battre, s'enfuir, courir et se faire oublier ; il craignit jusqu'à sa mort les tueurs de l'Ordre de Malte qui étaient à ses trousses, car il en avait trahi les vœux : à tout instant, dans une ruelle de Syracuse ou de Palerme, ils pouvaient surgir, le pousser contre une porte et lui enfoncer un poignard dans le cœur.

À force de peindre, et parce qu'il avait tué, le Caravage se mit à vivre avec la présence aiguisée de la mort. Je divague, peut-être, mais il peut sembler logique qu'un tel peintre eût commis un crime : comme s'il était passé à l'acte, ou plutôt comme si son pinceau, devenu pour quelques secondes un couteau, était resté un pinceau ; comme si à travers l'éclair de donner la mort lui était venue la confirmation de ce qu'il peignait : la peinture est effrayante, car en elle on *touche la mort*.

Ce genre de considérations est téméraire, voire douteux. Je ne dis pas que le Caravage est allé tuer quelqu'un en vue de peindre, ni *pour sa peinture*. Je ne prétends pas qu'il ait trouvé par le couteau ce que son pinceau cherchait à savoir de la mort, ni qu'il se soit à ce point approché de la mort pour vérifier le trouble qu'ouvre la peinture dans les corps. Peindre et tuer sont deux actes noirs ; mais ils sont incomparables et ne communiquent pas. Pourtant, le Caravage, mieux qu'aucun autre, ouvrit une brèche et désigna jusque dans sa vie – et au prix de sa vie – un point où leurs ténèbres se parlent. Ce point est muet, seules les peintures en rendent compte.

À partir de quelles traces quelqu'un racontera-t-il notre vie ? Des lettres, des anecdotes, des « témoignages » ? Une chute de cheval, un tapage nocturne, un succès public, une mauvaise critique ? La rumeur de notre passage est aussi fragile que contradictoire, et autant chargée de l'amour que de la malveillance des autres. Ainsi les premières biographies du Caravage sont-elles écrites par des gens qui ne l'aimaient pas ; la postérité complexe de ce peintre, redécouvert il y a quelques dizaines d'années seulement, grâce à une exposition organisée en 1951 à Milan par Roberto Longhi qui acheva de ressusciter le Caravage et fit un premier grand tri parmi les attributions qui accablaient son œuvre, est déterminée par une mauvaise action originelle : ce sont ses ennemis qui ont organisé sa mémoire.

Lorsque nous regardons aujourd'hui des tableaux du Caravage et que nous leur trouvons une évidence géniale, il ne faut pas oublier qu'on a d'abord tenté d'en occulter la force, voire de les supprimer : beaucoup de gens, qui pensent aimer l'art, mais qui ont ce que Georges Bataille nomme les « yeux châtrés », auraient préféré que le Caravage n'existât pas.

Depuis la révélation que j'avais eue dans l'église Saint-Louis-des-Français face au cycle de saint Matthieu, je m'étais mis à rechercher les tableaux du Caravage ; et à chacun de mes voyages, à Florence, à Naples, à Milan, à Berlin, à Madrid, à Londres, à Syracuse ou à La Valette, j'allais contempler cette peinture qu'il me semblait de mieux en mieux connaître et qui, au fur et à mesure, prenait dans ma vie figure de vérité ; car à force de me consacrer à ces tableaux, à force de me rendre disponible à ces prodigieux fonds noirs, à ces surgissements de violence inouïs, à ces grappes de raisins insensées, à ces gestes de saints, à cet amour, à ces regards adressés à Dieu, au crime, au désir sexuel, à l'étendue de la mort, j'apprenais.

Et puis, en me penchant sur des monographies, que je collectionnais compulsivement, soit que tel détail d'un tableau y fût mieux reproduit que dans celles que je possédais, soit que le texte de tel spécialiste apportât une découverte, je m'imprégnais peu à peu de la vie passionnante du Caravage et de la légende douloureuse qui l'accompagne.

Et c'est vrai que cette vie est un roman : il faudrait l'écrire plusieurs fois, couche sur couche, pour qu'en elle commencent à briller des tonalités enfouies dans l'ombre, pour espérer voir se révéler à travers des reflets suffisamment subtils quelque chose qui touche à l'essentiel d'une vie plutôt qu'aux grandes lignes d'un folklore qui se ressasse de catalogue en catalogue. Oui, plus encore qu'une étude, il faudrait une *écriture* qui sache faire entendre la vie et l'œuvre, les deux à la fois, et le point fou qui les accroche, comme la pensée accroche la pensée, comme deux corps s'étreignent dans l'ombre, comme une perle s'attache amoureusement au lobe d'une oreille.

# CHAPITRE 20

## *La mort du père*

Alors voilà : le Caravage est né le 29 septembre 1571 à Milan. On a longtemps cru que c'était à Caravaggio, une petite ville située à l'est de Milan, près de la frontière de la république de Venise, fief indépendant gouverné par une branche des Sforza, mais on en est sûr maintenant : c'est à Milan.

Comme le 29 septembre est le jour de la Saint-Michel-Archange, on prénomme ce nouveau-né Michelangelo. Il s'appelle donc Michelangelo Merisi (mais plus tard, à Rome, il arrivera qu'on l'appelle Merigio).

Selon les premiers biographes, son père, Fermo Merisi, était maçon ou architecte ; il semblerait plutôt qu'il fût intendant au service de la maison du marquis de Caravaggio et que, bien loin de la légende qui se complaît à faire venir le Caravage du ruisseau et se délecte à lui attribuer des origines pouilleuses sous prétexte qu'il peint des gueux plutôt que des puissants, non seulement les Merisi ne sont pas pauvres, mais appartiennent à cette moyenne bourgeoisie de province plutôt aisée qui tisse des relations avec la noblesse. Si le père du Caravage travaille avec la famille des Sforza, dont une branche porte le titre de marquis de Caravaggio, sa mère, Lucia Aratori, est issue de la bourgeoisie de rang ; et de fait, à leur mariage, c'est le marquis Francesco Sforza, marié à la marquise Constanza Colonna, qui sera le témoin.

La famille du Caravage est donc en relation serrée, à la fois professionnelle et affective, avec une grande famille dont le pouvoir, les liens, les alliances s'exercent partout dans la péninsule, et même en dehors ; quelque chose d'une mémoire féodale, aussi discrète que puissante, veille ainsi sur la destinée du Caravage : les Sforza et les Colonna aideront à de multiples reprises le peintre dans ses démêlés avec la loi et le protège-ront jusque dans son exil, à Naples et en Sicile, où les deux familles avaient de l'influence.

Fermo Merisi et sa femme Lucia Aratori ont quatre enfants : Michelangelo est l'aîné, puis viennent Giovanni Battista, Caterina et Giovan Pietro. Ils emploient deux serviteurs et vivent à Milan dans un grand appartement situé Corso dei Servi (aujourd'hui Corso Vittorio-Emanuele), dans la paroisse de Passerella, où le Caravage a été baptisé le lendemain de sa naissance.

À cause de la peste qui frappe Milan en 1576 (elle fit 17 000 victimes), la famille revient vivre à

Caravaggio, où le père du Caravage, son grand-père et l'un de ses oncles meurent, victimes de l'épidémie.

Je suis toujours étonné que les commentateurs du Caravage ne s'attardent pas sur un tel événement. Comment un enfant de 6 ans qui assiste à la destruction soudaine de sa famille pourrait-il ne pas en être atteint ? Comment un peintre comme le Caravage, dont les tableaux sont à ce point dévorés de noir, et où les personnages révèlent, au contraire du programme de sublimation de la Renaissance, des corps tout bordés de maladie, n'aurait-il pas fait là une expérience déterminante ?

Ce qu'a vu exactement le jeune Caravage de l'agonie de son père, ce qu'il a senti, perçu, halluciné de la peste, on l'ignore, bien entendu ; mais il n'est pas interdit de penser que la présence du fléau et la vision des corps en décomposition ont fait partie du paysage affectif du Caravage : chez lui, les « images d'êtres qui meurent », pour reprendre la vieille expression de Pline l'Ancien, vont de pair avec la substance même de la peinture.

La hantise de la peste peut sembler aujourd'hui lointaine, mais la peinture italienne ne saurait être comprise, et encore moins aimée, si l'on en sous-estime la dimension conjuratoire ; on a tendance à occulter ce fléau qui n'a cessé de dévaster l'Italie et d'y bouleverser la représentation des corps : peindre en Italie – c'est-à-dire fabriquer des corps glorieux – a consisté pendant des siècles à conjurer esthétiquement la peste ; et en lisant ce livre fondamental de Millard Meiss qui s'intitule *La Peinture à Florence et à Sienne après la peste noire*, on comprend à quel point l'idéal de la Renaissance, et la suite de chefs-d'œuvre qu'une telle foi en un monde neuf et ordonné a suscitée, relèvent d'une construction visant à se protéger de l'hécatombe qui en constitue l'origine.

Certes, la peste de 1576 qui s'abat sur Milan et emporte la famille du Caravage est moins importante que celle de 1348, laquelle anéantit la moitié de la population de Sienne et de Florence ; mais c'est le retour de ce fléau, ou plutôt sa présence insidieuse à travers le temps, qui fait peur : en 1630, à peine vingt ans après la mort du Caravage, la peste recommence en Lombardie et en Vénétie, et rien qu'à Milan soixante mille personnes meurent sur cent trente mille habitants (un tableau de Nicolas Poussin, *La Peste d'Azoth*, qu'on peut voir au Louvre, témoignera d'une telle catastrophe).

# CHAPITRE 21

## *La peste*

J'imagine le jeune Caravage déchiffrant dans la suie grasse qui colle aux murs pestiférés des figures qui n'existent pas, détaillant ces taches noires qui sont comme le souffle porté des visages emportés par le néant. « C'est dans les choses confuses – écrit Léonard de Vinci – que l'esprit trouve matière à de nouvelles inventions » ; il ajoute qu'il en advient ainsi « en regardant des murs maculés de taches », où l'on devine des « compositions de batailles d'animaux ou d'hommes », des « paysages », des « choses monstrueuses ».

La peste est une maladie de la matière ; la décomposition des corps physiques n'est-elle pas à l'origine de toute peinture ? Ne discerne-t-on pas, au fond de toute peinture – et plus crûment dans celle du Caravage –, le spectre de la défiguration ?

Une violence interrompt le visible : la célèbre *Tête de Méduse* peinte vers 1598 témoigne en un sens de cette limite que fige un cri d'horreur.

Dans la peste, la figure humaine se défait; elle rejoint cette terreur qui pèse sur toute identité : il est possible que nous n'existions pas, il est possible que le néant défasse nos traits.

À un moment de sa vie, après une rixe où il manque de mourir, une balafre immense défigure le visage du Caravage, comme si dans sa vie faisaient retour les motifs qu'on reconnaît sur les murs de la peste. Une mousse noire pousse dans l'ombre de la matière, la recouvrant jusqu'à la mort : faut-il y trouver l'origine du noir qui creuse les toiles du Caravage ?

Ce noir, il m'arrive de m'y brûler les yeux : lorsque je regarde un tableau du Caravage – et hier encore, lors d'une exposition qu'organise le musée Jacquemart-André, à Paris, où je revoyais ma chère *Judith décapitant Holopherne* –, mon regard se noie dans une matière inconnue; je ne désire pas spécialement connaître la nature d'une telle matière, mais plutôt approfondir ma vision : j'aimerais que voir me transporte à l'intérieur du tableau.

Le noir du Caravage est-il la couleur de l'esprit ? Celle de la négation ? De la nuit morte et des âmes damnées ? Est-ce la limite du monde et de notre perception ?

Les peintres classiques broyaient eux-mêmes leurs couleurs. On pense que le Caravage préparait ses toiles avec un mélange à base de calcite et de pigments naturels; et qu'il utilisait également cette base demi-teinte pour peindre les cheveux et la peau. J'ai lu que, pour obtenir des blancs très opaques, il mélangeait de la peinture à l'huile de noix avec une tempera à l'œuf. On sait que le Caravage ne faisait pas d'esquisse : il affrontait directement sa toile, sans dessin préalable, et se contentait d'y tracer quelques lignes en incisant l'enduit de *gesso* encore frais, comme s'il écrivait sur un mur pour y faire surgir des présences.

Quant à la couleur noire, l'obtenait-il à partir d'une calcination d'origine animale ou en récupérant la suie du goudron brûlé ? Le *noir animal* est un charbon d'os de bœuf ou de porc dégraissé qu'on fait bouillir ; et sans doute le Caravage avait-il ses filières pour trouver des os : il n'est pas rare à l'époque qu'on chargeât les assistants de piller des tombes afin d'y déterrer des squelettes qu'on calcinait ensuite dans l'atelier : des recettes d'apprenti sorcier – toute une cuisine du diable – précèdent ainsi le travail de la peinture, laquelle ne cesse de recycler la décomposition des corps. La mort fait partie de la substance même de la peinture – on peint avec les morts.

Je ne peux m'empêcher de penser que les murs brûlés des villes où sévit la peste ont cette couleur jaune et grasse, salie de fumée noire, que les dernières œuvres du Caravage, celles qu'il a peintes en Sicile, en particulier *Les Funérailles de sainte Lucie* ou *La Résurrection de Lazare,* ont restituée à travers leurs immenses fonds sombres et terreux, à travers la nudité angoissée d'un geste qui offre des pans de peinture au vide des catacombes, comme si tout à la fois la peste et la mort de son père faisaient retour dans sa peinture, à un moment où sa vie est en danger, où son espérance a faibli, où il semble que tout soit perdu.

Au fond, la vie du Caravage est la première *vie moderne* : en elle se déjoue la trajectoire lisse des ascensions classiques ; c'est une vie qui erre loin de son axe et se nourrit des impacts qui la ravagent ; et au contraire du modèle glorieux répercuté par les *Vies des plus excellents peintres, sculpteurs et architectes* de Vasari, où, à partir de la Renaissance toscane, une vie d'artiste semble obéir au mouvement d'une maturation qui tend vers l'apothéose (Michel-Ange en sera l'incarnation héroïque), la vie du Caravage défait la succession académique des réussites et s'ouvre au contraire à la dimension d'une négativité qui, en intégrant à son histoire les accidents, les traumatismes et le malheur, l'accorde en un sens au mouvement qui affecte le monde. Le Caravage est peut-être le premier peintre à prendre au sérieux le néant, c'est-à-dire à ne pas se réfugier dans l'illusion d'un idéal dont la peinture ne serait qu'une poursuite vaine.

On connaît la règle qui, en temps de peste, est placardée sur les murs et à la porte des églises : « Tout vivant qui approche un mort sera condamné au feu. » Le Caravage n'est-il pas précisément celui qui n'a jamais oublié la peste, qui ne s'est pas détourné des morts et qui, peignant depuis cette mémoire du fléau, depuis cette présence des cadavres, a effectivement été condamné au supplice d'une vie incandescente ? L'insondable fond *noir animal* de sa peinture ne donne-t-il pas à voir cette dimension de cauchemar sur laquelle se détachent ces silhouettes mortelles que sont les humains ?

Il y a une « chose » autour de quoi tourne la représentation ; cette chose est aussi effrayante que la Méduse ; elle est indélogeable ; et résiste à toute symbolisation – c'est un « intérieur exclu », comme dirait Lacan. Cette chose qui rôde dans les tableaux du Caravage et s'y manifeste comme l'innommable même de la violence a partie liée avec ces « poussées inflammatoires d'images dans nos têtes brusquement réveillées » qu'Antonin Artaud associe précisément à la peste, images d'autant plus menaçantes qu'elles se dérobent à toute inscription parce que des conflits qui dormaient se précipitent en elles sans jamais prendre forme (en cela, ces *images noires* s'accordent à la dissolution des corps dans l'informe qui est l'horizon de la peste).

# CHAPITRE 22

## *La fontaine miraculeuse*

Que faisait le Caravage avant qu'on l'envoie en apprentissage, à 13 ans, chez Simone Peterzano, un peintre renommé, ancien élève du Titien, qui fut leur voisin à Milan ? Je n'ai pas envie de vous infliger des fantaisies, encore moins de broder un tableau de la vie quotidienne d'un enfant à la fin du xvi<sup>e</sup> siècle en Lombardie : les lacunes font partie de l'existence ; tout n'est pas significatif ; et quelles qu'en soient les péripéties, l'enfance est un temps secret.

Alors voici ce qu'on sait : à la mort de son père, le Caravage a 6 ans, et sa mère Lucia en a 27. Grâce au dispositif d'enseignement issu du concile de Trente, qui, sous l'influence du cardinal et archevêque Charles Borromée, accentue la dimension pastorale de l'Église catholique, le Caravage va à l'école et il bénéficie de leçons de catéchisme.

Dans l'Italie de la Contre-Réforme, la piété structure la vie des jeunes gens : non seulement le Caravage sait lire et écrire, mais il a une connaissance précise de l'histoire de la religion chrétienne. S'ajoutent à ce contexte un oncle prêtre, et son frère Giovan Battista, lequel reçoit à 11 ans, en 1583, les ordres sacrés qui le destinent, lui aussi, à la prêtrise.

Comment le Caravage a-t-il découvert sa vocation ? Les influences, chez les artistes, sont multiples, hasardeuses, volatiles. Dans l'Italie de la Contre-Réforme, il y a des œuvres d'art partout ; la moindre église se donne comme un petit musée où le jeune Caravage a pu se laisser impressionner par le visage doré d'un martyr aux yeux noyés d'ombre ou par le modelé des biceps effrayants d'un bourreau dont il se souviendra pour sa *Flagellation* ; il a pu se laisser charmer par les effets de lumière d'une lanterne ou par les tonalités noisette d'un vêtement d'apôtre aux relents de brûlé ; être conquis par le détail d'une lamelle de nuage dans un ciel, par la minutie d'un pied de vigne ou la gravité d'un pavement rouge poivre qui reviendra, des années plus tard, sous son pinceau, lorsqu'il peindra la Vierge.

Ainsi a-t-on beaucoup insisté sur l'imprégnation lombarde du Caravage : entre Bergame, Brescia et Crémone, c'est-à-dire dans le voisinage de Caravaggio, une « école lombarde » s'est regroupée autour de peintres comme les frères Antonio et Vincenzo Campi, comme Giovanni Battista Moroni ou Moretto da Brescia, dont les doux clairs-obscurs, la beauté sensible des plis entaillés par des ombres légères et le naturalisme brusque qui s'éclôt dans les contre-jours constituent selon Roberto Longhi, qui les a révélés au public, de convaincants précurseurs du Caravage. Et rien qu'à Caravaggio, chez lui, le Caravage a pu voir des œuvres de Bernardino Campi dans l'église paroissiale, ou des fresques de Fermo Stella dans l'église franciscaine San Bernardino.

Peut-être a-t-il dessiné et peint de lui-même, se perfectionnant tout seul et rêvant à la gloire de son illustre prédécesseur Polidoro da Caravaggio, né vers 1500, mort en 1543, et aujourd'hui oublié, qui apprit la peinture auprès de Raphaël, fit une carrière brillante de peintre à fresques à Rome, puis – troublant destin qui annonce celui du Caravage – partit à Naples, et enfin s'exila en Sicile, à Messine, où il aurait été assassiné.

Giovan Pietro Bellori, l'un des trois fameux biographes du Caravage, raconte que celui-ci accompagnait son père sur des chantiers où il l'aidait à préparer des enduits à fresque ; mais son père étant mort lorsqu'il avait 6 ans, on peut douter d'un tel scénario et lui préférer la piste de la fontaine : on raconte en effet que la Vierge était apparue en un endroit du bourg de Caravaggio et qu'une source avait fleuri au lieu même de son apparition. On y avait établi, en action de grâce, une fontaine dont les murs tombaient en ruine ; pour revivifier ce miracle, Charles Borromée – qui plus tard sera canonisé, et qui alors n'était pas seulement archevêque de Milan, mais aussi l'un des artisans les plus zélés et les plus audacieux de la Contre-Réforme catholique (dont la peinture du Caravage est à sa manière une expression intense) – commanda qu'on rénove le vieux sanctuaire. Un appel d'offres avait été lancé auprès des entrepreneurs locaux, et c'est l'un des oncles du Caravage qui remporta le marché, si bien qu'avec l'aide d'autres membres de la famille il dirigea cet énorme chantier auquel le tout jeune Caravage, dont la curiosité pour toute forme d'art était inlassable, avait nécessairement pris part.

Il est possible que le véritable baptême artistique du Caravage soit là : un enfant qui a perdu son père dans la peste tourne autour d'une petite œuvre d'art édifiée sur une source en attendant de voir la Vierge ; et comme il a lui-même participé à cette œuvre, comme il était là chaque jour, portant les outils, aidant à la préparation des matières, observant combien, dès lors qu'une œuvre d'art en est l'objet, les humains canalisent leurs conflits, maîtrisent leurs passions et se concentrent sur un but unique, silencieux et fébrile, aussi magique que l'apparition qu'elle célèbre, qu'on appelle la perfection. Comprend-il que c'est l'art – et en particulier la peinture – qui fait *apparaître ce qu'on ne voit pas* ?

Un artiste est quelqu'un qui, d'une manière ou d'une autre, se met en rapport avec le miracle ;

il est capable de le reconnaître, mais aussi de le recréer. Comme l'indique plaisamment Carmelo Bene dans *Notre-Dame-des-Turcs*, un poète ne dit pas : « La Madone m'est apparue », mais : « Je suis apparu à la Madone » (*Sono apparso alla Madonna*).

Parmi les dizaines d'œuvres du Caravage dont l'attribution est encore incertaine, il y a un *Jean-Baptiste à la fontaine* tardif, qu'on peut voir à Malte ; il faisait partie, semble-t-il, des tableaux roulés sur eux-mêmes qu'il avait apportés sur une felouque et qui lui furent volés lorsque, rentrant d'exil en 1610, et impatient d'obtenir son retour en grâce, il aborda à Porto Ercole, fut arrêté par erreur, puis relâché, et malade, erra le long du rivage à la recherche de la felouque, avant de trouver la mort.

Leon Battista Alberti, qui théorisa l'art de peindre en 1435 avec son *De pictura*, écrit que la peinture consiste à « embrasser avec art la surface d'une fontaine ». Par le mot de « fontaine », il entendait avant tout un miroir et se référait au mythe de Narcisse ; il n'empêche qu'à l'origine de la peinture on découvre une source ; qu'on s'y mire ou qu'on y trempe son pinceau, comme l'œil dont elle est l'image parfaite, elle humecte, humidifie, irrigue une surface de pigments qui en réinventent la palette lumineuse.

La source inscrite au fond de tout regard ne cesse d'être attaquée par le visible qui en déchire obstinément la beauté ; mais les peintres réveillent à chaque coup de pinceau cette humidité qui baigne la cornée et nous transmet à la mémoire d'une lumière liquide.

Chaque tableau recèle à sa manière une fontaine, laquelle se dissimule comme un *trésor à prodiguer* dans la nuance des carnations, dans l'offre immense des nudités, dans l'éclair de ces bouches ouvertes qui, dans la peinture du Caravage, affirment, en même temps qu'une soif inextinguible, la jouissance d'une sensualité qui vous défie. La fontaine, en tant que provision de clartés, n'est-elle pas le lieu de l'amour – celui qui, comme dans le *Roman de la rose*, vous ouvre à l'image ?

Ce jeune Jean-Baptiste à la tignasse épaisse, ceint d'une peau de bête qui tombe de ses épaules, est penché en avant, les deux mains appuyées sur un rocher ; il ouvre sa bouche pour boire l'eau de la fontaine, dont un petit filet coule sur ses lèvres, et un autre ruisselle vers la pauvre croix confectionnée avec le bâton de roseau posé devant lui.

La simplicité de l'*indemne* vous saute aux yeux ; elle étincelle comme la goutte d'eau qui désaltère un enfant. Dans la peinture du Caravage, le sacré gît dans une goutte. Il existe une part en chacun de nous qui échappe à l'enfer et nous destine, presque miraculeusement, au goût d'une rosée fertile. Que le Caravage, tout au bout de son destin – au cœur du désert angoissé de son exil –, ait rejoué dans un dernier tableau la scène enfantine de la fontaine mariale, rien n'est plus déchirant.

Je voudrais creuser encore, pendant quelques paragraphes, l'image de cette fontaine : dans la peinture du Caravage, excepté dans ce beau *Jean-Baptiste*, la fontaine est invisible, mais c'est elle qui éclaire dans ses premiers tableaux le sourire insolent des jeunes gens qui posent à moitié nus ; c'est elle qui brille dans les yeux séducteurs, dans les regards musicaux, dans les décolletés chantants ; et le chevalet lui-même, au si beau nom qui appelle le galop, ne figure-t-il pas, aux yeux d'un adepte des fontaines, le miroir, la mare, l'étendue humide qui vous destine à l'assouvissement ?

À chaque instant, peut-être plus encore à la fin, il s'agit d'aller vers la « source de vie » dont parle l'*Apocalypse*. Nous croyons évoluer dans l'existence, mais celle-ci n'aura peut-être consisté qu'à savoir vivre auprès d'une fontaine – à se rapprocher, à s'éloigner d'un point d'eau vive. Car il y a toujours, quelque part dans la vie d'un homme, une fontaine ; et s'il arrive que nous la perdions de vue, et que nous soyons allés si loin dans l'égarement qu'il devient impossible de la retrouver, un détail suffit parfois à vous enchanter, une pauvre écume verte au pied d'un tronc d'arbre, un camaïeu de plis rouges, le cerne sous l'œil d'un jeune homme, la perle à l'oreille d'une femme : voici que vous reconnaissez l'enchantement lui-même, qui se met à miroiter comme la blancheur neigeuse sur les armures des chevaliers de la Table ronde.

Ouvrir sa bouche, étancher sa soif, chercher Dieu : je ne sais dans quel ordre le mystère s'ouvre, ni comment il nous gratifie, mais la goutte d'eau n'est pas seulement ce qui rassasie, elle est une rosée qui double en filigrane le passage des jours ; et même si le fond de l'existence est noir, la fraîcheur d'un ruissellement secret nous fait tendre les lèvres : à chaque seconde, un psaume réclame en silence une rivière pour notre gorge asséchée ; la détresse connaît bien cette espérance, elle en discerne même la lumière, car à travers une goutte d'eau c'est le monde entier qui se donne, et c'est précisément ce monde entier qui scintille sur la toile d'un peintre, reflété en un prisme où la nacre rejoue à l'infini le mouvement des couleurs et la variété des formes.

# CHAPITRE 23

## *Apprendre la peinture*

Voici donc le Caravage apprenti chez Simone Peterzano. Il a 13 ans. Le contrat porte sur quatre années ; il stipule que, en échange de vingt-quatre écus d'or par an (une somme relativement élevée, qui oblige sa mère à vendre quelques biens), Michelangelo recevra son enseignement, avec le gîte, le couvert et du linge.

Dans le contrat signé devant notaire le 6 avril 1584, Peterzano s'engage à ne se servir en aucun cas de lui comme domestique ; et à en faire un peintre au bout de quatre ans. On imagine mal, en effet, le Caravage *servir* qui que ce soit ; on l'imagine moins encore *ne pas être peintre* – tant chez lui la liberté et la peinture semblent aller de soi, comme deux dispositions naturelles qui n'en font qu'une. Et détail amusant du contrat : le Caravage s'y engage à ne commettre « ni fraude ni tromperie », comme si son caractère récalcitrant avait nécessité cette clause spéciale.

On raconte que, durant ces quatre années, il peignit un certain nombre de portraits de la famille Sforza, ses protecteurs, mais aucune œuvre de cette période n'a été retrouvée ; on raconte aussi qu'il aurait participé à la réalisation d'une fresque, aujourd'hui disparue, dans l'église Santi Fermo e Rustico de Caravaggio, et que cette commande devait beaucoup à la protection de la marquise Colonna, dont on se souvient qu'elle est la veuve de Francesco Sforza, et dont le Caravage pourrait bien être le fils inavoué (les historiens de l'art se posent en tout cas de plus en plus la question).

Il y avait alors dans les ateliers lombards des recueils d'estampes inspirées de Raphaël et de Michel-Ange, qui permirent au Caravage de s'approprier le stock figuratif de base qui lui permettrait bientôt, en les subvertissant, d'intervenir dans la peinture selon ses propres coordonnées. On sait que le Caravage ne dessinait jamais au préalable (du moins n'a-t-on retrouvé aucune esquisse préparatoire) ; et qu'il se contentait de tracer sur la toile avec le manche de son pinceau, ou à l'aide d'un couteau, les grands traits de la composition et certains contours : en radiographiant ses tableaux, on a retrouvé des incises qui lui permettaient de cadrer les silhouettes de ses personnages. Il n'empêche que le Caravage savait parfaitement dessiner, et qu'il en avait perfectionné l'art auprès de Peterzano, à partir des recueils d'estampes, mais aussi *d'après nature*, c'est-à-dire à partir de modèles, comme il le fera durant toute sa vie d'artiste.

À partir du début du xviᵉ siècle, des estampes de reproduction sont en effet diffusées dans toute l'Europe et transforment radicalement les pratiques artistiques en faisant communiquer entre elles les œuvres des plus grands peintres. Dès son apprentissage, le Caravage bénéficie d'une telle nouveauté, s'imprégnant de cet immense catalogue d'images qui offre aux peintres une provision de modèles ; et ainsi les œuvres du Caravage feront-elles à leur tour l'objet de copies et de gravures qui circuleront d'atelier en atelier (de telles reproductions seront parfois immédiates, tant le succès du Caravage fut grand, comme pour *La Mort de la Vierge,* copiée à la fois par Poussin et par Rubens).

Le Caravage termine son apprentissage en 1588, il a 17 ans. Deux ans plus tard, sa mère meurt. Il vend alors tous les biens dont il hérite, pour vivre à sa guise et selon son dessein. J'allais dire que cette période est mystérieuse, mais toute la vie du Caravage est mystérieuse. Certains moments sont plus documentés ; et comme on n'a retrouvé aucun tableau de cette époque, on n'a pas non plus de renseignement sur celle-ci.

Bellori, l'un des trois premiers biographes, prétend que, « victime de son tempérament tourmenté et querelleur, il dut fuir à Milan les conséquences de certaines discordes ». Certes, un tel scénario de *vie violente* ne va cesser de se renouveler durant les prochaines dix-neuf années du

Caravage, et il n'y a pas de raison qu'il n'ait pas déjà commencé, à 20 ans, à laisser libre cours à son *hubris* ; mais le déchaînement des passions, même les plus irascibles, n'empêche pas de peindre, et le Caravage, sans que personne ne puisse en témoigner, continua sans doute à peindre durant cette période qui succède à son apprentissage, et quoi qu'en disent les tenants de la légende dissolue, ne fit quasiment que ça.

Les écrivains écrivent, les peintres peignent ; le folklore nocturne de leur vie est secondaire : il vient du fait qu'il est impossible d'écrire et de peindre en permanence, et aussi que l'écriture et la peinture impliquent un engagement physique dont l'intensité demande, une fois le travail achevé, à s'épuiser dans une dépense qui la calme.

Certains biographes prétendent, sans aucune preuve, que, durant ce laps de temps de quatre années qui sépare la fin de son apprentissage de son arrivée à Rome en 1592, le Caravage aurait séjourné à Venise : ils pensent en effet que le Caravage se serait beaucoup inspiré de Giorgione, mais cette référence témoigne avant tout de l'embarras qu'ils éprouvent à qualifier la peinture du Caravage, qu'ils essaient ainsi de rabattre sur un univers qu'ils connaissent.

Je ne crois pas que le Caravage ait eu besoin d'aller voir, pas plus à Venise qu'ailleurs, les tableaux dont les recueils d'estampes lui avaient transmis toute l'iconographie en un éclair, ni d'aller éprouver cette émotion originaire que les églises lombardes lui avaient déjà offerte : à travers un dessin, une peinture ou une fresque intensément regardés, *il y a toute la peinture.*

Michel Nuridsany pense que le Caravage a pu voir des Titien à Milan et en retenir « l'amplification de la couleur et de la lumière par l'atmosphère tonale », mais aussi la vitesse avec laquelle il installe d'un même geste couleur et composition : « Titien peint alors, avec ses doigts, des magmas étincelants, vertigineux, pétrissant la couleur, faisant passer des rouges dans des verts, des ocres dans des bleus. »

Ce qu'on arrache à d'autres artistes relève d'un amour sauvage ; le Caravage voit toute chose en fonction du tableau à venir, qu'il nourrit de ce qu'il a vécu spécialement pour peindre ; ainsi le jour venu, face à la toile, est-il capable – c'est sa fièvre, sa *vista*, son tour de force – de mobiliser des formes vues chez tel peintre, de calquer la position d'un bras ou le mouvement d'un torse, et d'emprunter, pour les tordre dans son sens à lui, un motif, une formule.

Je crois que le Caravage est de ceux qui prennent tout à cœur et ne se satisfont de rien ; sa connaissance de l'histoire de la peinture était peut-être lacunaire – qui, en 1595, peut se prévaloir d'avoir tout vu ? –, mais elle était vécue avec l'exigence d'intensité de celui qui s'est donné pour ambition de la refonder en sa personne.

Une fois installé à Rome, il prit sur lui toute la peinture, que sa palette ne cessa de radicaliser, d'abord à travers l'ironie, puis en inventant les conditions d'une intériorité tragique aussi neuve qu'extrême : en déshabillant l'iconographie classique, le Caravage la pousse à exprimer ce que sa magnificence refoule. Il n'aimait ni Raphaël, dont la beauté lui semblait mensongère, ni les derniers maniéristes qui, à son époque, remplissaient les églises de leurs fades sublimations. Qu'il s'emparât d'un *ignudo* de Michel-Ange – ce corps d'homme dont la nudité dérive de la représentation des anges du Quattrocento –, c'était pour en révéler ce que l'esthétique idéalisée de la chapelle Sixtine dissimule à travers ses somptuosités : la crudité du désir sexuel.

# CHAPITRE 24

## *L'arrivée à Rome*

Voici que le Caravage arrive à Rome. On est en 1592. Il a 21 ans. Le grand roman commence – un roman baroque, abrupt, insensé. Lorsqu'on lit la biographie d'un artiste, on ne peut s'empêcher de se hâter vers le moment qui transforme son expérience en quelque chose d'extrême ; mais la vie du Caravage est si intense qu'avec lui ce moment se révèle continuel.

Car sa vie est effectivement un roman ; et plutôt que de lire ce roman vrai, ou de s'appliquer à le penser en approchant son cœur qui est la peinture et rien que la peinture (cette passion exclusive, cette activité qui dévore l'emploi du temps), on se contente en général de délirer à propos du désordre de ses nuits, de sa fréquentation des prostituées, de son goût pour les garçons, le vin et la bagarre. Il est logique que l'intensité sexuelle et le scandale suscitent la curiosité, et que celle-ci accélère l'imagination ; ainsi la place occupée dans sa vie par le crime provoque-t-elle une passion ambiguë, presque louche, semblable à celle qui rend attirants les mauvais garçons et les femmes qui se détruisent.

Mais toute cette atmosphère interlope dont on enveloppe sa vie pourrait bien n'être qu'un voile : si j'insiste sur sa solitude, sur sa main qui peint, sur les heures où il se tient, fébrile et concentré, face à la toile, dans la pénombre de cet atelier dont je vais parler, avec une lumière qui, venant d'en haut, rase le corps des modèles absorbés dans leur nuit et les accorde à une densité qu'ils n'ont peut-être jamais eue dans leur vie ; si je m'arrête sur ces instants qui échappent au racontage et sont noués à ce mélange d'ombre et de lumière qui est le lieu intérieur de la peinture, c'est parce que le véritable combat mené par le Caravage se déroule dans cet espace obscur et absolu, à côté duquel ses frasques, ses duels, ses échauffourées, pour violents qu'ils soient, et chargés d'irrémédiable, ne relèvent que d'une aggravation de son humeur : c'est en peignant que le Caravage rejoint son feu, et que ce feu qui affronte la matière concerne l'univers.

Je continue un peu à méditer sur sa solitude, avant de revenir à la chronologie. Le Caravage, à Rome, a tâtonné, passant d'un atelier à un autre, peignant à la chaîne des fruits, des fleurs et des têtes, avant d'obtenir, avec le succès, une indépendance qui lui permettra de fixer ce que lui seul a vu dans l'acte même de peindre et dans l'infini du visible que chaque tableau met en jeu.

La densité d'une journée de peintre est incomparable (à moins de penser à ces jours clairs où l'on fait l'amour continuellement) ; ce sont des brusqueries de couleur, des formes en l'air qui prennent corps, des lumières qu'on fait surgir de la matière, des calculs et des improvisations. Il faut faire du noir et casser des chandelles, s'exciter, puis devenir lent, se reposer – non, pas de repos : le Caravage est un enragé.

Peindre doit avoir lieu sans interruption, sans que personne ne vienne vous déranger. Le répit sera pour la vieillesse, et comme il n'y aura pas de vieillesse, il sera pour la mort. On reprend le pinceau, on fouette, on creuse, on fait de grandes ténèbres ; au début on s'intéresse en effet aux fruits, aux fleurs, pour se donner une tournure, et puis tout cela disparaît : il n'y a que la passion qui vaille, celle qui transperce les corps ; il n'y a que les atomes et les cris. Alors il faut tendre un drap rouge sur la nuit, y figurer des corps qui souffrent et y planter des armes dont le métal brille en même temps qu'il supprime les souffles.

Le Caravage bouillonne, son rythme est saccadé, puis le voici devenu fixe, on dirait que la fièvre immobilise ses nerfs : il entre dans un pays dont les contours sont noirs. Les corps humains sont des agneaux déjà sacrifiés, et leur existence est un lent bûcher ; le Caravage, lui, accélère, il a soif, il veut tout : la nuit des rues sales, le luxe facile des palais, l'argent des commandes et la solitude, l'escalier ivre quand on rentre, très tard, et l'acuité nouvelle qui vient avec le pinceau.

Les mouvements fiévreux poussent-ils à peindre ? On ne sait rien, au fond, de la vie d'aventures qui était celle du Caravage. Je vais résumer ce qu'on en raconte, mais une chose est sûre : le désordre n'est ni propice ni contraire à la création. Un peintre comme Chardin a répété toute sa vie des journées régulières ; c'était un génie. Le Caravage, au contraire, met de la nuit dans sa vie, exacerbe ses désirs et privilégie le chaos ; c'est un génie.

Il n'y a pas de voie pour créer, juste une extrémité dans laquelle on habite – ou pas. Cette extrémité n'est pas tellement perceptible ; elle peut bien sûr prendre des dehors de parade, un aspect folklorique, voire spectaculaire, mais la *vie d'artiste* n'a jamais produit un artiste : seules comptent les heures passées face à la toile, face à la page blanche ; seul cet excès, bien plus fou que toute beuverie, plus enivrant que toute orgie, plus profond que tout dérèglement, atteint cette radicalité qui est au cœur de l'art et vous ouvre à la vérité.

Voilà : la vérité, ce n'est pas de mener une vie de liberté, c'est d'être libre dans son art. Dès ses premiers tableaux, le Caravage invente une liberté nouvelle. Rimbaud, dans une lettre à Georges Izambard du 2 novembre 1870, écrit : « Je m'entête affreusement à adorer la *liberté libre*. » C'est elle qui instille son mauvais esprit dans les tableaux que le Caravage a peints à Rome.

Mais pour arriver à faire des fruits qui débordent, pour peindre un lézard ou la peau verte d'un giton bachique, pour trouver la lumière dans la main du Christ désignant Matthieu, la blancheur d'un cheval qui a mis à terre son cavalier pour le changer en saint, pour trouver ces lumières, pour voir ces flammes, pour poser ces lignes aiguës sur la nuit d'une toile de lin clouée sur du bois, il faut être resté trop longtemps dans des tavernes et avoir tourné de l'œil au plus clair des ivresses, il est nécessaire d'expérimenter la colère et son débordement bilieux, l'innocence qui couronne ce débordement et cette colère, il faut se réveiller misérable d'avoir trop bu, le cerveau éteint, piétiné par sa propre lourdeur, il faut s'être anéanti.

La comédie de l'absolu ne contredit pas son essence : l'absolu se trouve avec les mains. Un cadre, des couleurs, un pinceau. Le reste peut continuer à dormir. Les vices nous conduisent-ils, *dans leurs routes insensibles, du côté du petit infini* ? La société le répète après Pascal, sans peut-être bien comprendre Pascal. Car les vices, chez un génie, sont un repos et un exercice. Si je ne rentre pas cette nuit chez moi, c'est que l'écriture l'exige ; un jour prochain, dans une dizaine de pages, je retrouverai la beauté de cette nuit dans mes phrases, elle viendra y répandre un éclat dont je n'aurais pas bénéficié, que je n'aurais pas même imaginé sans ma nuit de tumulte.

J'insiste : le désordre de sa vie n'ôte rien au Caravage. S'offrir aux inspirations, même les plus tortueuses, n'est ni un bien ni un mal : la morale est la faiblesse de la cervelle. Chez un artiste, les passions ne sont pas un obstacle ; j'y vois au contraire un accès.

Au moment où il peint, le Caravage est froid ; sa fièvre tout entière est transférée à sa main : le pinceau est la continuation du couteau redevenu pinceau, comme plus tard chez Géricault, Cézanne, Bacon.

Une nouvelle raison vient du chaos, de la fièvre, de l'empressement : elle ne tempère pas, ne modère aucun excès – elle coupe. La vie des conventions meurt au premier coup de pinceau.

Le mouvement infini, le point qui remplit tout, le moment de repos : ces trois attributs de Dieu dans les *Pensées* de Pascal décrivent en même temps ce qui se passe dans le geste de peindre. Autrement dit, le Caravage a cherché la vérité en peinture.

On dit que ce n'est point ici le pays de la vérité ; et qu'elle erre inconnue parmi les hommes ; que Dieu l'a couverte d'un voile qui la laisse méconnaître à ceux qui n'entendent pas sa voix ; et que le lieu est ouvert au blasphème.

Mais on dirait qu'il n'y a pas de voile pour le Caravage, plutôt une transparence : c'est la peinture – une toile où les couleurs trouvent des volumes qui trouvent des formes pour écouter cette voix ; et la faire entendre.

Je ne sais si c'est Dieu qui se rend ainsi audible auprès du Caravage ; mais le lieu est bel et bien *ouvert au blasphème* – et à bien plus : il est ouvert à tout ce qui vit.

Voilà : les peintres ont la vie spéciale qu'on sait, et les journées de bouillonnement qui vont avec ; ils ont aussi des pensées qui les mettent à la recherche d'une chose en général complètement négligée.

# CHAPITRE 25

## *L'arrivée à Rome (suite)*

Nous sommes donc en 1592, le Caravage débarque à Rome. A-t-il dilapidé le pécule qu'il possédait en quittant Milan ? Les anciens biographes racontent qu'il traînait dans les rues pouilleuses de Rome, sans argent, vêtu de rien. Sa protectrice, la marquise Sforza Colonna, y séjourne alors et l'a sans doute hébergé quelque temps dans son palais, mais on peut imaginer que, s'il bénéficia de son aide et de son réseau, le Caravage désirait se débrouiller par lui-même.

Ainsi, avant d'être repéré par le cardinal del Monte, et d'intégrer sa maison, ne va-t-il pas cesser, pendant trois années, de passer d'un atelier à un autre, de multiplier les expériences – et de peindre.

La Rome du Caravage est une ville trépidante, sale et mal famée, aux rues étroites, obscures, encombrées d'échafaudages, pleines d'encorbellements, de balcons, d'étals divers et d'amoncellements de détritus, où les palais étincelants et sévères de la noblesse côtoient les tavernes les plus sordides et les entresols louches que la belle jeunesse fréquente à l'instar des ribauds, des mendiants, des courtisanes, lesquelles sont près d'un millier en 1600, chiffre sans équivalent en Europe, et exercent leur activité au grand jour, malgré la répression pontificale.

La délinquance et la prostitution sont donc partout ; et la débauche avale les nuits. À Rome, tout se mélange jusqu'au trouble qui rend les différences indiscernables : l'embuscade et l'orgie constituent l'horizon d'un tel entremêlement – et de fait, le sexe et la violence semblent avoir été les deux attractions passionnelles du Caravage.

Il est facile de se le représenter au milieu d'un décor aussi flamboyant et noirâtre ; Rome est en chantier et grouille de désirs : lui aussi.

On l'a décrit, à l'époque, déambulant au cœur des bas-fonds de la ville, « vêtu d'un habit noir débraillé » et d' « une paire de chausses noires un peu déchirées », mais plein d'orgueil, et l'épée au côté : la misère auréole toujours un roi secret.

Concernant son physique, les témoignages se recoupent : « Il était sombre de peau et avait les yeux sombres, les cils et cheveux noirs ; et tel il apparut naturellement dans sa peinture », précise Bellori. Un rapport de police confirme cette description : « Ce peintre est un vigoureux jeune homme de vingt à vingt-cinq ans, trapu, avec une barbe noire en broussaille, avec des sourcils épais

[...], et dont la tête est couverte d'une abondante chevelure noire retombant sur le front. »

Si Rome s'affirme de nouveau comme le centre du monde, après que le sac de 1527 par les troupes de Charles Quint en eut éteint la splendeur, c'est grâce à la volonté des papes : Clément VIII, récemment élu (et qui sera pape durant à peu près tout le séjour romain du Caravage), succède au célèbre Sixte Quint, lequel, à la suite du concile de Trente, et en vertu des recommandations politiques de la réforme catholique, avait complètement réveillé la ville en la scénographiant selon la vision religieuse d'un *lieu de gloire*, redressant les obélisques, qu'il fit surmonter de croix chrétiennes, creusant des axes qui relient les basiliques, les places et les fontaines, et ouvrant aux créateurs un nouveau marché de commandes pour les églises.

Clément VIII poursuit ce travail avec une rigueur, une piété et une autorité inexorables : c'est lui qui fera enlever des lieux de culte certaines nudités jugées trop lascives, notamment des saint Sébastien pâmés ; c'est lui qui interdira aux femmes de sortir le soir et contrôlera leur manière de se vêtir ; c'est lui qui fera extrader Giordano Bruno – tout juste innocenté par Venise de l'accusation d'hérésie –, le fera incarcérer dans les geôles du Saint-Office (où d'ailleurs le Caravage lui-même fera un bref séjour après une incartade) et, après un interminable procès, le condamnera au bûcher, où, le 17 février 1600, sur le Campo dei Fiori, après qu'on l'aura déshabillé et qu'on lui aura entravé la bouche avec un mors pour l'empêcher de parler, Giordano Bruno sera brûlé en public, peut-être sous les yeux du Caravage.

Le monde dans lequel évolue le Caravage explose de possibilités artistiques nouvelles, encouragées dans l'intérêt de l'Église, et il bénéficie d'un foisonnement cosmopolite hors norme : comme le note Montaigne dans son *Journal de voyage en Italie* – il séjourna à Rome en 1580, soit à peine douze ans avant l'arrivée du Caravage –, Rome est *patria comunis* : « C'est la plus commune ville du monde, et où l'étrangeté et différence de nation se considère le moins ; car de sa nature c'est une ville rapiécée d'étrangers ; chacun y est comme chez soi. »

Mais ce monde en ébullition est saturé d'interdits qui en limitent l'expression : c'est en se faufilant entre les codes du puritanisme et leur transgression habile qu'à la fin du XVIᵉ siècle on peut parvenir, à Rome, à créer une œuvre qui ne dépende que de soi ; et s'il n'est pas douteux que le Caravage répugna à servir qui que ce soit et voulut toujours *brûler pour rien,* il comprit vite qu'il ne pouvait réussir seul.

Les débuts du Caravage relèvent du roman picaresque : le voici d'abord qui travaille comme journalier chez un peintre sicilien du nom de

Lorenzo Carli, dit Lorenzo Siciliano ; il y produit, paraît-il, *trois têtes par jour* – les « têtes » désignant des portraits en série d'hommes illustres, papes, rois, empereurs, commandés par des amateurs qui les accumulent afin d'en orner les murs de leurs maisons et de constituer ce qu'on nomme en termes de collectionneurs une *galerie d'effigies*.

J'aime bien ce détail des « trois têtes par jour » ; je l'ai glané dans une des biographies anciennes du Caravage. Impossible, bien sûr, de vérifier une telle affirmation : aucune archive ne quantifie le labeur d'atelier du jeune Caravage en 1592, mais il y a dans cette expression quelque chose de ce plaisir propre au « biographème » cher à Roland Barthes, qui m'enchante.

D'ailleurs, peu importe l'exactitude de l'anecdote, l'essentiel est ailleurs : pour un peintre qui ne va plus cesser de peindre des têtes coupées – celles en l'occurrence de Jean-Baptiste, de Goliath et de la Méduse –, il est amusant de noter qu'il commence par les peindre à la chaîne. Et l'on peut considérer qu'en un sens sa peinture se vengera littéralement de s'être ainsi pliée à la convention de faire des têtes ; comme si peindre, c'était au contraire *défaire les têtes*, et faire perdre sa tête à la peinture de son temps, à celle de tous les temps.

Car, dès le début, c'est bien ça qui l'anime : non pas servir la représentation, mais amener celle-ci à le servir. L'histoire de la peinture n'en est pas encore à mettre les têtes à l'envers, et pourtant celle d'Holopherne, dans mon tableau bien-aimé, ne nous regarde-t-elle pas comme dans un miroir ?

À ses débuts, le Caravage côtoie la pauvreté ; mais il ne déchoit pas ; les tempéraments colériques sont les plus endurants. Il semble même qu'il tire parti de ses expériences nocturnes : non seulement ses plaisirs se précisent et son âme s'élargit, mais ses fréquentations de taverne lui fournissent des modèles appartenant au peuple, voire à la prostitution ; lorsque le Caravage va les mettre sur la toile, ils vont bouleverser les codes, et même choquer : on lui reprochera par exemple d'avoir figuré la Vierge sous les traits d'une courtisane bien connue. Aux maniéristes qui privilégient l'impersonnalité des corps antiques, le Caravage préfère la vérité des corps qui vivent ; et fût-ce pour « jouer » Judith, Salomé, Isaac, saint Jérôme ou même le Christ, il fait appel à des gens du peuple.

Bellori raconte à ce propos qu'un jour qu'on lui montrait la beauté des *Dioscures* de la place de Monte Cavallo, « il étendit la main vers la foule des hommes : il signifiait par ce geste que la nature l'avait suffisamment pourvu de maîtres. Et pour donner plus d'autorité à ses propos, il appela une gitane qui passait par hasard dans la rue, la fit monter dans son auberge et la peignit prédisant l'avenir ».

Alors voilà, le Caravage est d'abord hébergé près de la Piazza Navona chez un certain Tarquinio, qui venait comme lui de Lombardie ; il semble que cette adresse était celle d'un bordel : à Rome, la différence entre une taverne et un lieu de plaisir est souvent indiscernable.

Puis, recommandé par la marquise Colonna, il habite chez monseigneur Pandolfo Pucci, lequel, en échange du gîte et du couvert, exige de lui toutes sortes de services – dont la copie d'images de dévotion –, et semble carrément le traiter comme un larbin. L'expérience, en tout cas, n'est pas satisfaisante : « Monsieur Salade », comme le surnomme le Caravage par raillerie, était avare au dernier point et, selon Mancini, l'un des trois biographes de l'époque, « lui faisait passer la soirée avec une salade qu'il lui servait à la fois comme hors-d'œuvre, comme plat de résistance, comme dessert et – ainsi que l'on dit – comme garniture et comme cure-dents ».

Les aventures du Caravage, s'il arrive qu'elles soient drôles, ne sont jamais rassurantes ; elles suivent une courbe chaotique, qui récuse l'idée d'initiation : s'il peut à chaque instant rafler la mise, il peut aussi tout perdre. Je crois que toute sa vie le Caravage s'est tenu fermement sur cette crête qui correspondait à l'idée qu'il se faisait de l'exigence ; pour lui, un artiste était avant tout quelqu'un qui refusait le confort, quelqu'un qui ne se reposait jamais sur des formules acquises

et devait assumer les risques auxquels sa vie l'en-
gageait.

Il tombait souvent malade, était sujet aux
fièvres et à la malaria (on peut dire qu'en un sens
il en mourra); et c'est peu dire que le Caravage
aura malmené son corps, mais il l'aura également
poussé vers des régions dont les bien-portants ne
se douteront jamais. La nuit qu'il s'est injectée
dans sa vie répond à une recherche qui lui ouvre
les yeux sur la vraie couleur de l'existence.

Voici en tout cas le Caravage soigné à l'Ospedale della Consolazione, à la suite d'une chute
de cheval ou d'un coup de sabot, on ne sait pas.
Le *Petit Bacchus malade* – ou *Autoportrait en
Bacchus* –, l'un de ses premiers tableaux, qu'on
peut voir aujourd'hui à la Galleria Borghese et
dont je vais bientôt parler en détail, témoigne,
avec son étrange visage jaune et vert aux lèvres
exsangues, et tout mangé de paludisme, de cet
état de faiblesse dans lequel le Caravage, régulièrement, tombe avant de se relever et d'aller de
nouveau nourrir ses frénésies.

Il rejoint vite l'atelier d'Antiveduto
Grammatica, un jeune peintre très dyna-
mique, venu de Sienne, qui a le même âge que
le Caravage et lui fait profiter de son réseau de
clientèle; puis il passe dans un atelier renommé,
qui bénéficie de commandes prestigieuses, celui
de Giuseppe Cesari, dit le Cavalier d'Arpin, où
il restera huit mois et fera office de « peintre de

fruits et de fleurs » ; et c'est à cette époque, tout en travaillant comme assistant dans ces ateliers successifs, qu'il peint ses premiers tableaux destinés à la vente, dont certains lui seront achetés par le Cavalier d'Arpin lui-même, c'est-à-dire par son propre employeur.

# CHAPITRE 26

## *Peler une poire*

Il y en aura eu d'autres avant lui, il y aura eu des têtes, des natures mortes et des copies de dévotion produites en série dans ces usines à peindre que sont les ateliers de l'époque, mais on estime que le *Jeune garçon pelant un fruit* pourrait bien être le premier tableau que le Caravage aurait peint *pour lui*.

Sans doute les deux versions les plus belles que nous en avons, celle du château de Hampton Court et celle de la Fondation Roberto-Longhi à Florence, ne sont-elles que des copies d'un original perdu ; mais elles permettent de saisir ce qui anime le Caravage dès ses débuts.

Sur un fond noir, un tout jeune homme à la chemise blanche échancrée jusqu'au nombril pèle un fruit avec un couteau : certains commentateurs y ont vu une pomme, une bergamote, voire une bigarade, autrement dit une orange amère, mais n'est-ce pas une petite poire vert sombre qu'il manie délicatement, soucieux de l'éplucher sans relever le couteau, en réussissant une pelure parfaitement régulière ?

Sur la table devant lui s'étale une poignée de figues, de pêches, de prunes, de pommes, de poires ; une gerbe de blé enveloppe de sa blondeur la douce abondance de cette nature morte qui vient atténuer par ses coloris le violent contraste entre l'ombre et la lumière venue de la gauche.

Y aurait-il quelque sous-entendu érotique derrière ce léger sourire qui semble jouer avec sa propre timidité, ou même dans le soin apporté au geste d'éplucher (lequel pourrait signifier, en argot, un acte cru) ? Une sensualité flotte en tout cas sur cette intimité chaleureuse, toute caressée d'ombres sensuelles ; et si les plis des manches retroussées ouvrent un territoire apaisé, les longs cils baissés du jeune homme, ses poignets délicats, son torse imberbe lui confèrent une ambiguïté féminine.

Les trois autres tableaux qui accompagnent la première manière du Caravage – *Jeune garçon mordu par un lézard*, *Bacchus malade* et *Jeune garçon portant une corbeille de fruits* – possèdent une vigueur sexuelle plus directe (d'abord parce que les personnages nous regardent), mais attardez-vous un peu sur ce premier tableau, laissez-vous imprégner par sa densité ronde et lumineuse, par son bain de nuances qui mûrissent au sein de l'ombre : le Caravage parle ici de son rapport avec la peinture – rapport brûlant mais calme, rapport maîtrisé. Il semble nous montrer de quoi il est capable dans le domaine de la grande nuance, par exemple approfondir l'éclaircie d'un sourire.

Chez un peintre de natures mortes comme Chardin, le silence des corps et le duvet des fruits s'égalisent en une émotion qui semble se suspendre dans sa propre perfection : « Nous avions appris de Chardin – écrit Proust – qu'une poire est aussi vivante qu'une femme » ; mais, ici, nous sommes loin d'un tel univers, où les affinités de la nature se fondent en une confidence harmonieuse : un éclat de rire rentré, qu'on devine au bord des lèvres du jeune homme et dans ses yeux plissés qui s'appliquent au sérieux, semble sur le point de faire exploser la scène : le Caravage n'est pas un peintre d'intérieur, il joue – et son modèle avec lui – à tenir la pose, qui tout entière se tend vers un point de la lumière où se prépare moins son épanouissement que sa cassure.

Et puis, avec ce chemisier trop échancré qui nous fait glisser, certes encore gentiment, vers un monde dangereux et désirable, il y a le couteau – et avec lui cette division du visible qu'introduit toujours une arme, même dans sa version atténuée d'ustensile de cuisine.

Le couteau appelle des rapports brusques ; il suppose, il appelle le sang. Et si, dès son premier tableau, le Caravage en glisse un entre les mains d'un jeune homme, la délicatesse ombrée du geste qu'il rend possible et son appartenance au domaine du plaisir ne doivent pas nous cacher que d'une manière secrète, suspendue, et peut-être occulte, il nous invite à la révélation de cette béance à laquelle ouvre la mise à mort. Peler un fruit n'est pas seulement un acte décoratif : en lui, l'écorchement se donne encore sous des couleurs gracieuses, mais la mort palpite déjà discrètement dans la pointe de la lame ; et il arrivera vite un moment où la mort dans la peinture du Caravage sera grasse, juteuse, salement désirable, comme les doigts souillés d'un mauvais garçon, comme les bras de tueuse d'une Judith.

Je crois que, sous ses dehors charmants, ce premier tableau met en scène un acte insaisissable ; et que sous la scène doucement mystérieuse du fruit pelé se réserve un possible *portrait du peintre en sacrificateur*, dont le charme voilé, au bord de l'absence à soi, viendrait ainsi de ce qu'il s'applique à faire entrer son geste dans l'ordre répétitif et rituel d'une cérémonie.

De quelle obscure activité cette scène, en préludant à l'œuvre entière du Caravage, est-elle donc la métaphore ? De rien d'autre qu'elle-même sans doute, sinon de l'avenir même de la peinture du Caravage : en dressant sa pointe vers le cœur du jeune homme, le couteau fait signe vers un territoire où, d'une manière voilée, l'écorchement appelle la mise à mort, qui elle-même appelle le crime et le sacré.

# CHAPITRE 27

## *Voici des fruits*

Les premiers tableaux du Caravage sont des déclarations sexuelles. Ils s'adressent directement à notre regard, qu'ils provoquent à travers une sollicitation insolente : il y a un garçon mordu par un lézard, un autre qui vous propose une corbeille de fruits, puis deux Bacchus, l'un, au teint verdâtre, malade, et l'autre, peint plus tard, couronné de lierre et complètement ivre, qui lève sa coupe de vin à notre intention, comme pour un toast.

Tous nous regardent, ou plutôt ils *jouent* à nous regarder : d'emblée, le Caravage met en scène des personnages qui, comme sa peinture elle-même, cherchent à nous séduire, à capter notre regard, à établir avec nous un rapport à la fois équivoque et direct. C'est bien pour nous que ces portraits sont peints : nous sommes visés – et, de fait, ces tableaux sont parmi les plus connus du Caravage, preuve qu'ils sont difficilement oubliables.

Le rapport qu'ils établissent avec nous relève de la provocation, et vu la nature sensuelle, voire androgyne, des poses que prennent ces jeunes hommes, on peut qualifier cette provocation d'homosexuelle, même si la sexualité est avant tout *jouée,* et qu'on oublie souvent que ces personnages, aux têtes couronnées de pampre, de lierre ou ornées de grappes de raisins, sont déguisés ; et que leur excès, en un sens, est parodique.

En tout cas, ces quatre portraits, peints selon un même format en demi-figure – format nouveau à Rome, mais hérité de la peinture lombarde –, témoignent d'une entrée en peinture absolument fracassante : ces belles têtes de gouapes que le Caravage a choisi de peindre, en a-t-on jamais vu de pareilles dans toute l'histoire de l'art ? Elles envahissent d'un seul coup la représentation classique, comme le corps luimême du Caravage s'emparant de la peinture, frontalement, en occupant tout l'espace du cadre, affirmant sa vie même : séduction, violence, ivresse, maladie. Tout est dit d'une traite, tout est joué d'emblée.

Et puis le Caravage n'a-t-il pas ouvert ainsi les portes de la représentation artistique à des visages qui constituent un défi à la noblesse de la peinture ? Ce qui se donne à voir à travers ces quatre tableaux, entre 1592 et 1596, s'appelle une révolution.

Voici en effet qu'une population de *ragazzi* issus des quartiers populaires envahit la peinture, et que le Caravage leur permet non seulement d'accéder à la représentation, mais leur donne le premier rôle ; voici que ces trognes fraîches de voyous enjôleurs, ces corps musclés aux ongles sales et aux intentions ténébreuses, ces tignasses bouclées d'anges des faubourgs, comme Pasolini les chérira trois siècles plus tard, prennent possession d'un espace que se réservaient jusqu'à présent les maîtres.

Le Caravage a-t-il fait par ailleurs le portrait de ses protecteurs, les Sforza Colonna ? C'est possible, et l'on imagine leur exécution, dans ses très jeunes années précédant l'arrivée à Rome, comme relevant de la monnaie de complaisance, d'un art de stricte politesse, d'une peinture de remerciement qui ne met pas en jeu l'acte lui-même de peindre ; mais on n'a pas retrouvé ces tableaux, comme s'il était entendu qu'ils ne comptent pas. Ce qu'a *voulu* peindre le Caravage, ce qu'il a affirmé à travers sa peinture, ce sont au contraire ces têtes-ci.

Que font exactement ces jeunes gens entourés de fruits ? Rien : ils vous regardent et, en vous dévisageant, ils sollicitent votre regard ; leurs figures peintes consistent à séduire – à *vous* séduire. Ou plutôt, par le biais de la séduction, à affirmer leur présence, à s'imposer physiquement : à peine entré dans le monde de la peinture, les intentions du Caravage s'expriment de façon nette, abrupte, presque agressive ; les corps des jeunes garçons qui le représentent, et dont certains sont carrément des autoportraits, sont chargés de prendre le pouvoir sur le visible.

L'épaule dénudée, les voici qui vous aguichent. Autrement dit, et je souligne exprès la nature équivoque ou vulgaire d'une telle offre, *ils vous proposent leurs fruits,* comme ce garçon à la bouche lascivement ouverte, qui porte une corbeille de fruits dans ses bras : vous en voulez ou pas ? C'est à prendre ou à laisser, comme la peinture elle-même, que le Caravage cherche à vendre. Soyons clair : soit vous prenez cette peinture, soit vous allez vous faire foutre (le Caravage, on va le voir, lie secrètement les deux actes).

Les lèvres ouvertes du vendeur de fruits, sa tête légèrement inclinée, l'opacité brillante de son œil, et surtout l'abondance alléchante de sa corbeille en osier qui déborde de bons fruits mûrs, bien sucrés, bien juteux, des cerises, des grappes de raisins noirs, des pêches, des poires, des pommes, des figues et un petit sachet de fraises des bois : chaque signe érotise l'espace, tout exprime la chair épanouie.

Dans *Garçon mordu par un lézard,* l'échancrure de la chemise s'est encore élargie, au point de dénuder entièrement l'épaule du jeune homme, lequel nous offre une posture de sensualité qu'affiche explicitement la rose piquée dans ses cheveux ; mais le tableau expose un accident du désir : un lézard, surgi d'un petit bouquet de prunes et de cerises, s'accroche au doigt du garçon et lui arrache un cri qui ouvre ses lèvres charnues, de teinte carmin, peut-être *peintes*, sur une expression de douleur languide, légèrement affectée, que dramatisent un peu théâtralement les sourcils froncés et les yeux agrandis.

En voyant ce tableau, Baglione s'est exclamé ingénument : « La tête de ce garçon paraît vraiment crier » ; mais l'expressivité d'une telle mise en scène semble au contraire exhiber la simulation propre à la pose du modèle, la fixité de cette pose, son caractère de *tableau vivant* : il y a bel et bien quelqu'un qui pose, et ce quelqu'un est maquillé, il s'est déguisé à l'antique ; s'il cherche à vous plaire, c'est en rompant violemment le pacte qui d'ordinaire vous fait accepter ce qui est peint comme la réalité elle-même, c'est en révélant l'artificialité des moments qui sont peints.

Encore une chose : la violence du contraste lumineux qui découpe la silhouette en mouvement du jeune homme coïncide avec la brusquerie de l'instant ; la morsure, et le geste-réflexe d'ouvrir en bouquet les doigts de sa main, disent qu'au cœur du plaisir gît une piqûre ; mais la piqûre d'amour qui fera se pâmer saint François d'Assise dans les bras d'un ange lors d'un prochain tableau s'accompagne ici d'une mise en scène scabreuse : le doigt mordu n'est-il pas le *digitus impudicus* ? Un doigt d'honneur inversé en invite graveleuse ne se cache-t-il pas derrière une nature morte ?

Pour un peintre d'atelier, qui devait se contenter à longueur de journée d'orner des tableaux de fleurs et de fruits, le message est clair : non seulement il nous fait savoir que, contrairement à ce dont se satisfait la peinture classique, une nature morte est riche d'aventures (un lézard peut en surgir, aussi bien qu'un bouquet de signes érotiques) ; mais surtout, en douant ces fruits d'une vie aussi palpitante qu'ironique, il adresse aux peintres qui l'employaient un signe aussi net que brutal : *il leur fait un doigt.*

Le Caravage orchestre en effet les natures mortes selon son désir, comme un véritable foyer érogène qui, loin du simple statut décoratif auquel le cantonnent les ateliers, déploie la mobilité stupéfiante de leurs couleurs jusqu'à en faire le sujet même du tableau : dans les natures mortes du Caravage, il se passe toujours quelque chose d'ambigu – les fruits sont le lieu d'où part le rire du Caravage.

Une obscénité phallique se dissimule ainsi à travers l'étrange spécularité de ce *Garçon mordu par un lézard,* où se reflètent dans un vase la fenêtre de l'atelier du Caravage et la source lumineuse du tableau, où se dédouble la rose de la coiffure, dont la tige trempe dans l'eau trouble.

On dirait qu'il y a deux têtes, celle du garçon qui est piquée d'une rose, et la sphère formée par la carafe, elle-même ornée d'une rose : en se tenant en miroir l'une de l'autre, ces deux têtes laissent entendre que le secret du tableau réside dans la duplicité de sa nature. Ce qu'on voit est un reflet : le Caravage s'est peint dans un miroir, et il est possible, comme le suggère Michael Fried, que le bras gauche du jeune homme tendu vers le bord du tableau reproduise, à l'envers, le geste de peindre.

Cela semble d'autant plus convaincant que les tiges du rosier qu'on discerne par transparence à l'intérieur du vase ressemblent à des pinceaux plongés dans l'eau afin d'éviter qu'ils ne sèchent. Les formes pâles se prêtent au miroitement ; un trouble les rétribue – et leur dispense la profondeur d'un bain. Il m'arrive de penser que toute la peinture du Caravage sort de ce vase où trempe un rosier, où le noir qui comble sa palette, en se diluant, absorbe comme un buvard un peu de la lumière qui se reflète dans ses violents clairs-obscurs. Un bouquet de pinceaux fait fleurir une rose qui invente une tête : c'est le trajet de la peinture.

On voit ainsi que la légende d'un Caravage « réaliste », se contentant de reproduire la « réalité » sur un mode naturaliste, vole en éclats. Dès le départ, tout est vicié, tout est faux, tout est joué – tout est en miroir, démultiplié à travers l'infini des reflets. La peinture est un piège où le désir s'attrape par la queue, et en regardant ces premières peintures, j'entends le rire du Caravage, son ironie, la subtilité du bras d'honneur qu'il oppose aux conventions, l'empressement presque agressif avec lequel il empoigne la peinture afin de nous capter.

# CHAPITRE 28

## *La subversion et l'orgie*

S'il y a une équivoque, elle n'est plus du tout voilée dans le *Bacchus malade* : on est tous frappés, lorsqu'on découvre ce tableau pour la première fois à la Galerie Borghèse, à Rome, par l'effrayant petit visage verdâtre couronné de pampres qui semble celui, tout fripé, de quelque nain obscène ; on éprouve une sorte de malaise à soutenir le regard lubrique de ce « jeune petit vieux à la robustesse maladive », comme dit Mancini, dont la posture lascive, le dos nu et les lèvres exsangues, outrageusement ouvertes, miment l'attitude d'un faune paludéen qui sortirait devant nous du tombeau de la maladie pour goûter les fruits de la vie qu'il porte à sa bouche sous la forme d'une grappe de raisins blonds.

Car ce Bacchus au teint cireux, dont les lourds cernes et la musculature surdimensionnée dénotent une sensualité morbide, nous expose carrément ses arguments intimes : en témoigne au premier plan, sur la table, cette grappe de raisins bien garnie qu'accompagne une paire d'abricots.

Si la formidable grossièreté de l'allusion sexuelle ne vous saute pas aux yeux, si vous n'êtes pas convaincu, regardez ce gros nœud qui serre le drapé blanc de son costume à l'antique, un nœud si lourd que son bout repose sur la table.

Et puis si vous reconnaissez qu'il exhibe bel et bien sa grappe, vous constaterez alors qu'il en porte une autre à sa bouche, ne laissant aucune ambiguïté sur le genre de plaisirs qu'il prodigue.

La grappe, le nœud : dans les rues de Rome, à la fin du xvie siècle, ces choses-là sont lumineuses. Et le demi-sourire du Bacchus confirme qu'un sous-entendu scabreux anime la comédie qu'il joue devant nous : son message relève d'une retape dont l'argument de vente est clairement phallique.

Quand on sait que ce tableau a été reconnu comme un autoportrait du peintre – et qu'il témoignerait de sa convalescence à l'Ospedale della Consolazione –, on mesure l'extraordinaire ironie du Caravage, qui tout en affirmant son génie, notamment par la précision avec laquelle il définit ses propres traits en proie à la maladie, montre ce qu'il est capable de faire avec une nature morte, lui qu'on a voulu réduire, dans l'atelier du Cavalier d'Arpin, à la tâche prétendument subalterne de peintre de fruits.

On saisit ainsi comment, par le biais de l'autoportrait, le Caravage intervient directement dans le champ de la peinture *en se payant la tête de ses contemporains* : la provocation, chez lui, va jusqu'à suggérer que, même malade, il est toujours sexuellement en forme. Dans la compétition féroce qui règne entre les jeunes peintres romains, ce qui est en jeu, comme dans les bagarres de rues auxquelles le Caravage ne va cesser de prendre part, c'est la virilité symbolique. Avec cet autoportrait en Bacchus malade, le Caravage fait savoir que la noce ne l'amoindrit pas : *il a toujours le pinceau* (j'ai trouvé dans un livre de Pascal Quignard cette phrase qui tombe à pic : « Le mot français pinceau vient du mot latin *penicillum*, petit pénis »).

Quelques années plus tard, lorsque le cardinal del Monte le prendra sous sa protection, il éprouvera le besoin d'affirmer une nouvelle fois sa souveraineté en peignant un *Bacchus*, cette fois-ci deux fois plus grand, dont la radicalité tient à l'humour et relève, on va le voir, du manifeste.

De fait, ce grand Bacchus, exposé aux Offices à Florence, est devenu l'un des tableaux les plus célèbres du Caravage, l'un des plus reproduits, et semble même, aux yeux de certains, condenser le folklore décadent que son nom appelle automatiquement : corps d'éphèbes crasseux et nuits de beuverie.

Un jeune homme potelé, vêtu d'un drap blanc qui lui dénude le torse et laisse apparaître un téton, porte une extravagante couronne de raisins et de feuilles de vigne rousses, vertes et jaunes sur ses lourdes boucles brunes. Son visage est fardé, ses sourcils épilés sont marqués au crayon, et son regard fuyant et vague semble indiquer une ébriété que confirme la coupe remplie de vin rouge qu'il nous tend de sa main gauche.

Cet « androgyne grassouillet au regard chaviré », comme le qualifie plaisamment Michel Nuridsany, nous toise, hagard et grandiose, dans un décor de banquet antique : une corbeille remplie de fruits déjà mûrs, abîmés, quasi pourrissants, une carafe de vin à la surface de laquelle de fines bulles disent que notre Bacchus vient juste de se servir, la couche enfin, aux draps froissés, roulés sur eux-mêmes, dont le coutil bleu ciel de l'oreiller dépasse, comme un signe à la fois incitateur et repoussant.

Rejoignez-moi dans l'orgie, semble dire le Bacchus en levant vers nous la coupe ; et en même temps sa bouche close, contrairement aux autres *ragazzi* peints par le Caravage, semble figer toute empathie dans un englument de petit matin blême. La langueur que diffuse le tableau possède la mollesse d'une gueule de bois ; et tout ici semble amorti, voire ankylosé dans une alcoolémie qui rebute.

J'aime bien que Roberto Longhi parle à propos de ce tableau de « nouvelle vérité personnelle » : la pensée qui anime la conception de ce Bacchus est « plus moderne – écrit-il – et beaucoup plus proche de nous que ne le fut jamais la serveuse de Manet au zinc des Folies-Bergère ».

La subversion d'un tel tableau fait nécessairement de lui un objet de controverse : l'apparition de ce garçon d'auberge engourdi qui picole sur sa paillasse en lieu et place du dieu vénéré par Michel-Ange, Bellini ou Titien relève d'une raillerie, d'un génial coup monté contre la pieuse majesté avec laquelle les artistes, même les plus grands, traitent le sujet.

Le Caravage est le premier à décaper la figuration bachique, à lui ôter ses vénérables atours, à le soustraire aux conceptions borgnesses et apologétiques de la « beauté du corps humain », ainsi qu'aux fadaises de « l'harmonie entre l'homme et la nature », et à faire voir le scandale permanent qu'est Bacchus, c'est-à-dire l'incarnation même de l'irrécupérable – un attentat contre les attitudes humaines.

Ainsi le Caravage a-t-il recours, dans son dessein plastique, à un effet d'inadéquation : ce Bacchus n'est absolument pas en gloire, il y a en lui une sorte d'impersonnalité glacée qui rompt avec le charme facile des représentations censées magnifier ce dieu du plaisir ; mais surtout on voit bien qu'il y a un décalage entre le personnage de

Bacchus et celui qui le joue, comme si cette scène n'était qu'une comédie dont l'objet, qu'on devine indécent, est à première vue masqué par l'apathie du jeune homme qui vous tient à distance.

Il m'arrive de penser qu'on n'a pas encore vraiment pris la mesure de ce tableau : on se contente d'y voir plaisamment une figure débraillée qui porte préjudice aux conventions, mais *l'acte* dont procède une telle peinture – cet acte rigoureux qui nous fait carrément entrer une lame ironique dans les yeux – possède la capacité de dissoudre ce qu'il y a d'éternellement convenable dans la représentation picturale, et cela par le moyen d'une torsion acide et vicieuse qui désassemble les éléments de la composition et rend impossible l'adhésion sentimentale.

Imaginez un dieu avec une perruque. Le grincement est-il un art ? Il y a une beauté terrible du sarcasme ; elle rejoint des territoires où s'élabore, presque invisible, un nouvel amour des formes. Le *Bacchus* du Caravage inscrit un monde de recherches tendues par l'approfondissement de la négation : ainsi est-il affecté par une impassibilité qui relève avant tout du poison.

Georges Bataille estimait que l'*Olympia* de Manet « se distingue mal d'un crime ». Je pense que le *Bacchus* du Caravage, qui dissimule sa subversion derrière une paillardise de surface, procède également, en son objet, d'une destruction de la croyance qui nous lie aux figures peintes.

La radicalité de sa furie n'a besoin d'aucune violence ; il suffit d'une coupe de vin proposée au
spectateur pour que tout déraille et que « l'affirmation d'une puissance sobre – comme l'écrit
Georges Bataille – s'accorde à la sobre jouissance
de détruire ».

# CHAPITRE 29

## *Allez vous faire foutre*

Continuons avec le *Bacchus*. J'ai oublié quelque chose, et cette chose vaut le détour. C'est plus qu'un détail : le personnage qui joue Bacchus n'est-il pas en train de suggérer, en portant la main sur le nœud de sa ceinture, qu'il pourrait, en l'ouvrant, vous exhiber son corps nu ? Ne tient-il pas son nœud, lui non plus ?

Car ce nœud qu'il tient serré entre le pouce et l'index maintient sa toge fermée en un mouvement paradoxal puisque celle-ci est déjà amplement ouverte sur son torse : ce n'est donc pas une ceinture, mais son sexe qu'en un sens Bacchus vous fait miroiter.

Là où les tableaux précédents aguichent pour se vendre, celui-ci fait mine de s'offrir : le royaume depuis lequel ce Bacchus épuisé affirme sa présence relève certes de cet excès du plaisir qu'on nomme la débauche, mais surtout d'une solitude dont l'immensité se mesure à l'illimitation de la dépense ; il y a une grandeur dans cette attitude aussi folle que la nuit dont elle procède :

la débauche est une lutte avec la mort, dont elle ne cesse de repousser l'approche ; ne pas aller se coucher, refuser que le désir ait une fin, c'est chercher à vaincre les limites mêmes de l'existence.

Je continue avec ce tableau : moi non plus je ne veux pas aller me coucher, je voudrais que ce livre ne finisse pas, j'aimerais regarder des tableaux du Caravage toute ma vie et mobiliser du matin au soir les mots les plus précis afin de vous les faire voir.

Car l'avachissement des fins d'orgie, les ongles noirs de la nuit lourde, le vin qui rassasie et livre la chair à une bouffissure qui sanctionne la légèreté de l'ivresse : tout cela n'est pas le sujet. Je ne peux pas croire que le Caravage écoute cette bonne parole qui nous avertit des dangers de l'intempérance. Au contraire, le Caravage rit ; l'excès lui colle à la peau, c'est sa vérité : le modèle joufflu qui fait son Bacchus (sans doute son camarade et assistant Mario Minitti) vous dit qu'il dort n'importe où – pourquoi pas chez vous si vous acceptez la coupe de vin –, et que le banquet ne finira jamais.

« Jadis, si je me souviens, ma vie était un festin où s'ouvraient tous les cœurs, où tous les vins coulaient » : c'est le début d'*Une saison en enfer* de Rimbaud. C'est la vraie vie, la vie rêvée, celle où le cœur et le vin, en se confondant, inventent une fête qui donne enfin à notre existence un sens incontestable, qui lui accorde le plaisir mousseux de l'ébullition et lui prodigue l'intensité qui la consacre.

Alors peu importe si les fruits tombent un peu, s'ils sont mous, s'ils sont blets, s'ils commencent à se décomposer ; peu importe que l'extension de l'ébriété vous fasse l'œil un peu vitreux et qu'elle ralentisse vos gestes : dans le festin, toutes les beautés du monde affluent rêveusement et scintillent comme des baisers, tous les corps glissent avec la souplesse d'une biche : le malheur n'est pas votre dieu.

La masse lourde du Bacchus déploie une hébétude qui vous dit merde. J'aime voir en lui une version décadente et romaine du *Gilles* de Watteau, dont la semblable provocation masquée néantise les autres corps. À côté du Bacchus, personne n'existe, semble dire le Caravage : il prend toute la place, il est lourd, la rougeur de ses joues vous indique à quel point ses nuits sont plus belles que vos jours, et en plus il lève sa coupe vers vous, manière de signifier que seul importe le toast, c'est-à-dire la prolongation, toujours relancée, d'une fête qui célèbre son propre instant.

Le regard vague de Bacchus témoigne bien sûr de la fatigue qui succède aux plaisirs, mais aussi de l'absence à soi que procure l'ivresse : le grand défi consiste à *ne pas être là*.

Cette pensivité qui affecte les figures peintes du Caravage relève moins de quelque mélancolie que de cette part indomptable qui les soustrait à l'emprise. Lorsqu'on dévisage le petit Bacchus malade, ou le grand Bacchus à la coupe de vin, ou même sainte Catherine d'Alexandrie, *on ne les trouve pas*. Non pas qu'ils ne soient pas là : personne n'est *plus là* – n'est *mieux là* – qu'un personnage du Caravage ; leur être-là se donne comme vérité, mais leur présence a ceci de puissant que tout en s'affirmant elle se dérobe : ces figures pensent – et penser vous rend irréductible.

Voilà, la nonchalance est politique : elle se soustrait à la mobilisation. Bacchus ne participe clairement pas. Il préfère rester allongé sur sa couche. Il ne voit aucune utilité à se lever, encore moins à aller travailler. C'est le matin, la nuit a été blanche, buvons.

Les lecteurs vertueux d'aujourd'hui se souviendront du conseil de Baudelaire : « Il faut être toujours ivre. » Pour ne pas être ce qu'il appelle les « esclaves martyrisés du temps », « il faut vous enivrer sans cesse ». L'ivresse est une éthique, et ce tableau qui au premier abord semble désenchanté vous en procure l'exemple tout à la fois extraverti et secret.

Encore un mot avant de finir ce chapitre : face au Bacchus, on l'a compris, je ne peux m'empêcher de sourire – son excès alcoolisé, son débordement nocturne, sa jouissance opèrent bien sûr comme un slogan épicurien ; mais en même temps je vois le mur de la rue de Seine, à Paris, où

Guy Debord a tracé à la craie en 1953 la phrase :
« NE TRAVAILLEZ JAMAIS. »

Voyez le fond de tout cela : vivons-nous ?
Nous sommes comme de l'eau sans doute, c'est
pourquoi le vin nous offre des pensées qui nous
libèrent. Les vendanges approfondissent le
temps. Le grand poète persan Omar Khayyam
a écrit que la nuit n'est peut-être que la paupière
du jour ; il nous enjoint de lever haut notre coupe
remplie d'un vin d'amour, et de la vider jusqu'à
la lie.

L'ardeur du feu de joie coïncide avec le vin
qui coule : les anarchistes aiment la gratuité. En
ne reconnaissant aucune autorité, ils s'ouvrent au
jeu libre du temps : jouir est une manière d'accorder le néant à l'infini. Oui, allez tous vous faire
foutre : je suis intact, ça m'est égal. C'est ce que
dit ce Bacchus – c'est ce qu'affirme, en peinture,
le Caravage.

# CHAPITRE 30

## *La Corbeille*

Et puis il y a la *Corbeille*. On la trouve à Milan, au bout d'un long couloir de bibliothèque consacré aux manuscrits de Léonard de Vinci, dans l'une des salles de la pinacothèque Ambrosienne. J'y suis allé, je l'ai vue, c'est un éblouissement.

Avant de tomber sur elle, je n'avais jamais été ému par une nature morte : celles de Chardin me plaisaient, mais avant tout parce qu'elles plaisaient à Proust, dont j'avais lu les commentaires (ces natures mortes étaient déjà de la littérature).

Mais la *Corbeille* de Milan n'est pas seulement une nature morte, même si, en tant qu'œuvre parfaite, elle se donne comme l'assomption même de toute nature morte : elle renvoie certes à l'auto-jouissance d'un parti pris des choses – à la richesse de chaque fruit qui se recueille en lui-même –, mais elle ouvre sur une dimension qui, chez le Caravage, appelle le sacré.

Rien n'est plus dangereux que de s'approcher de cette région : à lui seul, le mot « sacré » détruit les notions consciencieuses. Son ambiguïté dérange ; et s'il échappe à une compréhension univoque, on a pris l'habitude de le rabattre sur la morale (serait « sacré » ce qu'on doit respecter) – et sur la religion (serait sacré ce qui nous oblige et nous prive). Ainsi le sacré est-il devenu au fil des siècles l'objet d'une chasse ; et s'il lui arrive d'apparaître par éclats à travers des expériences poétiques, il demeure néanmoins l'impensé fondamental d'un monde qui coïncide à chaque instant avec la profanation. Le grand projet occidental des Temps modernes, en assurant à l'Homme la maîtrise technique sur l'entièreté du monde, a consisté en effet à évacuer tout ce qui menace son règne, c'est-à-dire à refouler le sacré.

Entre mort et parole, un éclair ouvre pourtant à chaque instant une brèche lumineuse dans le réseau de la société intégrale ; cet éclair est terrible, car il provient de la foudre : en fissurant la trame, la brèche qu'il suscite révèle un abîme. Je pense que le trou est la vérité du réel : voici le sacré.

On comprend alors pourquoi le fond d'où surgit la peinture, et qui précède la vision, peut prendre une couleur hostile, ténébreuse, voire carrément criminelle : le Caravage s'est accordé personnellement à cette vérité par un usage spirituel du noir ; et lorsque son existence deviendra celle d'un hors-la-loi – lorsque, traqué, à Naples, à Malte, puis d'une ville de Sicile à une autre, il verra le temps et l'espace se rétrécir, et son souffle devenir aussi étroit qu'une planque, il peindra des tableaux éclairés par un goudron d'apocalypse, comme *Le Martyre de sainte Ursule*, sa dernière œuvre –, il fera parler la noirceur comme personne, sauf peut-être Goya, en aura été capable dans la peinture occidentale.

Mais le sacré possède une autre face, illuminée elle aussi par l'abîme, et plus difficile à discerner ; cette face, plus clémente – gorgée de disponibilité gratuite –, se manifeste depuis l'éclaircie que provoque la foudre.

Toute beauté véritable est une apocalypse : en ouvrant le temps, elle révèle ce qui, en lui, à la fois détruit et sauve.

Si la destruction a largement instruit l'art occidental, le salutaire l'a plus rarement illuminé. Les témoins d'une telle clarté sont en un sens plus consumés encore que ceux du désastre ; ils scrutent l'abîme avec parfois plus de discernement et sont penchés sur lui d'une manière plus intime ; car il faut traverser la dimension obscure pour en recevoir les étincelles, et pas seulement la subir, comme on subit la pétrification du regard de la Méduse : tourner sa face vers *l'éclair libre* est ce qui demande le plus grand effort, ou la plus grande chance – rien n'est plus fragile ni plus mal aimé que cette faveur soudaine du temps (la société préfère croire qu'elle n'existe pas).

La *Corbeille* du Caravage surgit de là, comme certaines pommes de Cézanne : sa provenance est extatique. La voici offerte au centre d'un étroit support de bois brun, saisie en légère contre-plongée, sur un fond d'ocre pâle, très proche du jaune paille. Comme celle qui est placée devant Jésus dans *Le Souper à Emmaüs* de Londres, elle déborde de son support, lequel coïncide ici avec le bas de la toile.

Son tressage en osier fait signe vers une douceur élémentaire, et la composition de fruits d'automne et de fin d'été, entremêlés aux feuillages, forme une pyramide couronnée d'une pêche, rompue sur la droite par une branche excentrée qui vient casser avec bonheur l'harmonie générale.

« Voici des fruits, des fleurs, des feuilles et des branches », écrira Verlaine : c'est un panier de belles figues et de raisins noirs, blonds, rosés, qui répandent leur maturité, c'est une poire tachetée dont la longue tige se frotte aux courbes d'une pêche, c'est un splendide citron, bien campé sur sa rondeur, qui semble porter cette montagne, c'est enfin une pomme rouge et jaune, piquée d'un point véreux, qui remporte les suffrages de la lumière. Tout s'irise et se « fluidise », comme dirait Cézanne : regardez la gouttelette qui rafraîchit de sa rosée discrète la pulpe du citron, goûtez la fine couche d'humidité qui fait briller les grains du raisin, admirez les veinules qui creusent et allongent chaque rameau, et ces fines ciselures par lesquelles les figues gorgées de suc se craquellent.

Les fruits sont mûrs, les feuilles commencent à sécher : on est dans la bonne saison. La nature vous promet son vin et son sirop. Le jus est sur le point d'éclater : sa douceur annonce les confitures. Elles font envie. La salive est notre avenir.

J'ai lu beaucoup de commentaires qui insistent sur la flétrissure des chairs et ne perçoivent dans cette corbeille qu'une vanité ; mais je vois mal le Caravage se contenter de ne fignoler qu'une allégorie : aucun peintre n'a pensé plus puissamment ce qu'il peignait; et il ne peignait rien qui ne fût pensé à fond : le petit jeu symbolique autour de la précarité de toute chose me semble une idée trop commune pour un tel génie.

Et puis, la plénitude de sa *Corbeille* n'est-elle pas avant tout une promesse de jouissance ? Certes, une lourdeur s'annonce à travers la décomposition de certains fruits, mais en même temps s'affirme, à travers ce débordement solaire tout gorgé de sucre, de sève et de pulpe, la lumière indiscutable de l'abondance. Oui, les fruits abondent, le temps est fécond, et si la saison nous entraîne vers leur inéluctable pourrissement, c'est pour en faire un vin plus fort.

Car ce petit univers jaune et rouge et vert manifeste avant tout la richesse de la palette du peintre : la peinture – comme la littérature – ne parle-t-elle pas toujours d'elle-même, du geste qui l'amène à ravir le visible aussi effrontément qu'un dieu enlève des nymphes, et de la puissance qu'elle se découvre à enchanter ce qui semble promis à la mort ?

Il suffit d'avoir des fruits, et les couleurs s'ensuivent : les arômes coulent sur la toile, les jus se mêlent et macèrent. C'est cela, la peinture ; c'est ainsi qu'on fait des pigments et que fermentent ces crèmes grasses par lesquelles s'inventent les couleurs : la fruition d'un raisin dont les chairs éclatent, une figue trop mûre dont le suc suinte comme du miel, des feuilles crénelées qui brunissent, et voici qu'à travers toute la gamme d'un soleil couchant les fruits se mettent à peindre.

J'ai les doigts collants quand je regarde cette corbeille. L'œil est mûr. Le soleil fait du vin. Il paraît que le Caravage ne connaît pas la nature : laissez-moi rire. Si vous n'avez jamais vu une corbeille méditer, courez à Milan.

J'en ai disposé une petite reproduction à mon chevet, à côté de ma lampe, si bien qu'en me réveillant c'est elle que je regarde en premier. Je l'accueille comme une manne. La faveur dort à mes côtés. Le favorable est la dimension de l'amour.

Dans la *Corbeille*, rien ne manque : l'accomplissement s'y accomplit. Quelque chose vibre à travers ces nuances qui nous donne le *là* de toute présence, comme trois siècles plus tard les pommes de Cézanne se présenteront depuis l'être et ouvriront le visible à cette dimension où toute chose, en ne cessant de se voiler et de se dévoiler, établit un rapport décisif, et mystérieusement apaisé, avec la vérité.

Depuis sa justesse plastique, la *Corbeille* du Caravage, peinte sans doute vers 1599 pour le cardinal Federico Borromeo, à une époque où le peintre est devenu très recherché et où, on va le voir, il reçoit commande sur commande, se situe – même si son style est proche de la peinture flamande – en avant de toute peinture, dans une région qui ne relève pas du décoratif, mais de l'ontologie.

Comme toute œuvre pionnière, sa solitude appelle autre chose que des considérations conventionnelles. Le Caravage lui-même n'a-t-il pas déclaré, avec son effronterie habituelle, que peindre un tableau de fleurs et de fruits lui coûtait autant de travail qu'un tableau de figures ? Ce qui à chaque fois est en jeu dans une œuvre du Caravage relève du coup de dé, c'est-à-dire d'une révolution : jamais son désir ne se contente de répéter ce qui a déjà été peint – il cherche toujours une solution nouvelle à un problème de représentation, et que cela s'applique à la figure de la Vierge, à celle du Christ, des anges et des saints, ou, on l'a vu, à celle de Bacchus ou d'une corbeille de fruits, il ne passe à l'acte qu'afin d'en renouveler la forme.

Car il ne faut jamais oublier, concernant un tableau du Caravage, sa dimension de coup de force, tant le peintre s'engage par orgueil, par défi, dans ce concours permanent qu'est la Rome des peintres à la fin du xvi<sup>e</sup> siècle, où les concurrences d'atelier et les rivalités personnelles, pour violentes qu'elles soient, stimulent le désir de perfection, et chez quelqu'un d'aussi irritable, d'aussi combatif, d'aussi radical que le Caravage, favorisent la volonté de peindre chaque tableau comme si toute l'histoire de l'art en dépendait, comme si elle était à reprendre entièrement et qu'il s'agissait non seulement de surclasser ses contemporains, mais aussi d'aller plus loin que ses modèles illustres.

À cet égard, la belle exposition organisée au musée Jacquemart-André de Paris, « Caravage à Rome, amis et ennemis » – où je ne cesse d'aller, l'après-midi, durant l'automne éblouissant où j'écris ce livre –, porte l'accent sur la compétition sociale d'où émergent les œuvres : peindre une *Madeleine*, un *Jean-Baptiste*, un *Repas à Emmaüs*, c'est bien sûr se mesurer à l'infigurable de l'instant sacré, mais c'est aussi entrer dans un réseau de comparaisons avec les autres peintres qui, eux-mêmes, et parfois à la même époque, au même moment, composent un tableau sur un thème identique, afin de décrocher à votre place une commande, ou pour dialoguer agressivement, avec vos œuvres, et les contester ;

ainsi, lorsque, à la Gemäldegalerie de Berlin, on contemple, accrochés l'un à côté de l'autre, *L'Amour victorieux* du Caravage et *L'Amour sacré et l'Amour profane* de Baglione, qui lui répond, comprend-on à quel point la rivalité détermine le rapport d'un peintre avec sa propre peinture : entre l'ange complètement nu, hilare et transgressif du Caravage, qui semble défier par son innocence l'idée même de bienséance et désarmer tout interdit, et celui de Baglione, harnaché d'une armure, dont le geste vengeur, qui recopie celui du tueur dans *Le Martyre de saint Matthieu,* vient punir l'incarnation de l'ange qu'il juge sacrilège, il y a une guerre de style, mais aussi un débat sur le sacré, qui rend impossible toute conciliation.

# CHAPITRE 31

## *Les mystères*

Restons encore un peu avec la *Corbeille* : il n'y a pas de raison de quitter ce qu'on aime. Certains historiens, fascinés par la perfection réaliste de sa composition, ont pensé qu'elle relevait de l'art ancien du trompe-l'œil.

Pline l'Ancien décrit en effet dans l'*Histoire naturelle* un tableau de Zeuxis qui représentait des grappes de raisins avec tant de réalisme que les oiseaux affamés se laissaient prendre au piège et, voulant les picorer, cognaient leur bec contre la fresque.

Ne sommes-nous pas, face aux œuvres d'art, la proie de ce rapport fou avec le visible ? Peut-être cherchons-nous simplement, comme les oiseaux, à nous nourrir ? Notre faim est insatiable, et il nous semble que la peinture, en avançant vers nous ses quadrilatères chargés de couleurs enchanteresses, nous tend des richesses que nous voudrions faire nôtres.

Lorsque, dans *L'Incrédulité de saint Thomas*, cet autre tableau sidérant du Caravage, saint

Thomas enfonce crûment son index dans l'entaille du Christ et qu'il fouille l'intérieur de la plaie avec une violence telle qu'il en écarte les chairs, ce n'est pas seulement parce qu'il ne croit pas en la résurrection du Christ, mais parce que le réel est si brûlant qu'il nous attire au point qu'on veuille y mettre le doigt, et s'y glisser. La plaie du réel, dont l'ovale rappelle la forme de l'œil, nous invite à ne pas rester dans le monde des spectateurs, mais à nous introduire d'une manière insensée dans celui de la peinture – à répondre à l'appel qu'elle nous adresse, comme Matthieu répond à sa vocation.

Il y a toujours quelque part un bras qui se tend vers nous, et nous ne le voyons pas. Dieu est absent, et c'est pourquoi la peinture existe : en approchant ma bouche d'une grappe de raisins peinte par le Caravage, j'approche d'un buisson qui rend ma jouissance ardente : je vois le feu – et si je sais donner ma vie à ce feu, je vois enfin le bras.

Il arrive que ce soit l'inverse, et que ce soit notre bras, notre main, notre doigt qui désignent un lieu dans le monde, le plus souvent un corps, vers lequel le désir nous mène. Alors toucher devient nécessaire, et l'étreinte sexuelle impérative.

Je reviens à la *Corbeille* : il est vrai que le fond doré invite à regarder en direction de la peinture de l'Antiquité romaine, et que le fond noir habituel aux autres peintures vient peut-être aussi de

là – de cette origine muette et presque entièrement perdue d'une peinture qui, en couvrant les
murs des villas antiques, leur servait à la fois de
miroir et de livre d'images.

C'est depuis cette *Corbeille* que naissent
les figures peintes. Je crois que la peinture du
Caravage, sautant avec impétuosité par-dessus
l'héritage du Quattrocento, dont pourtant tous
les peintres se partagent les miettes, mais dont
lui seul ose détester l'horizon maniériste, trouve
son origine inconsciente dans les murs de la villa
des Mystères, à Pompéi, où des gestes silencieux,
pudiques, effrayants, se découpent sur un fond
rouge, où se déplie, à travers la férocité solennelle d'une succession de rites, les étapes d'une
cérémonie obscure, à la fois bacchanale et mise à
mort, qui donne à voir, sans jamais la dévoiler,
l'énigme d'une initiation.

Quel rapport entre le Caravage et Pompéi ?
Même s'il n'a jamais pu connaître cette chambre
des Mystères, j'ai l'intuition qu'une telle peinture
lui était familière – à lui, pas aux autres : elle
remontait dans son sang comme une mémoire
inconnue, comme des atomes qui parcourent les
époques et rapprochent la matière –; peut-être
même comblait-elle – *sans qu'il la connaisse* – son
exigence d'un langage précis, cru et nocturne, et
sa détestation de l'idéalisme.

Dans les villas romaines, des fresques de
natures mortes couvraient les murs, et des

pavements de mosaïque représentaient, avec leurs tesselles colorées, les reliefs des festins qui y étaient donnés. On est frappé, lorsqu'on découvre ces compositions, d'y retrouver la clarté des fruits qu'a peints le Caravage avec tant de virtuosité pour sa *Corbeille* aussi bien que pour ses Bacchus : il y a des figues violacées, des grappes de raisins, des feuillages dont le pourtour se recroqueville, et des instruments de musique (comme en peindra le Caravage avec ses *Musiciens*, son *Joueur de luth*, ou même aux pieds de l'ange hilare et nu de *L'Amour victorieux*).

À quel banquet ancien la vie du Caravage appartient-elle ? Les peintres antiques mettaient des fonds noirs parce qu'ils nous voyaient à chaque instant attrapés par l'enfer et sortant de chez les morts ; et puis leurs fruits étaient surtout adressés aux dieux, leurs corbeilles étaient garnies en oblation : elles se substituaient aux sacrifices en nature, ces fruits de saison – ces prémices – qui avaient le défaut de pourrir et d'empester.

Ces petits tableaux, comme celui du Caravage, étaient alors déposés sur un autel, au bas de l'ef-figie du dieu qu'on honorait : un festin s'adresse toujours aux âmes des morts auxquelles il offre ses richesses ; en lui se déplie le secret d'un sacrifice, et je crois que la peinture du Caravage garde mémoire de ce rapport à l'origine sacrificielle des pigments, au récit d'une mise à mort contenue dans ces morceaux de bois peints, aux têtes coupées qui se dissimulent sous des linges, aux parties génitales qui se mettent en scène sous les drapés comme le cœur de tout rapport.

Lorsque le Caravage peindra bientôt l'un de ses deux *Souper à Emmaüs* – celui de Londres, avec Jésus imberbe – et qu'il fera tenir en équilibre, au bord de la table où le Christ a pris place, une corbeille remplie de fruits – cette corbeille-là –, toute la mémoire eucharistique de la Cène y sera condensée : les fruits peints sont les restes du sacrifice ; ils sont la bénédiction elle-même – l'adieu et la grâce de ce qui renaît.

Preuve, s'il en fallait, que ce à quoi la corbeille nous met en présence ne relève pas du garde-manger, mais du miracle : avec elle, le Caravage multiplie non pas les pains, mais les fruits, c'est-à-dire la saveur du monde, et le rite qui nous le donne. Je suis sur terre avec elle ; je sens bien que ces raisins blonds qui débordent lancent leur perfection sucrée vers une soif et une faim que j'éprouve comme si elles fondaient ma mémoire ; je reconnais dans le repas que composent cette pomme, cette poire, ce citron et ces figues, une nourriture qui me sauve depuis toujours. La présence a ses aventures : *être là*, c'est accueillir dans sa vie la corbeille – se rendre disponible à sa fruition.

Vous comprenez que la *Corbeille* du Caravage n'est pas une nature morte, mais une offrande aux dieux du visible en échange de sa représentation.

Un artiste est quelqu'un qui possède le savoir oublié des prêtres sacrificateurs ; là où les humains se contentent d'évoluer dans une dimension profane, il voit du sacré et comprend que tout échange est symbolique : ce qu'on prend, on doit le rendre d'une certaine manière. Tout acte implique un sacrifice qui le fait exister au-delà de la consommation des apparences ; il y a un bûcher invisible qui court à chaque instant sous nos gestes. La vraie vie consiste à s'accorder au feu qui en vient.

Et le secret des secrets – celui de la villa des Mystères (mais pas seulement) –, c'est qu'une chose se cache dans la corbeille d'osier : le phallus de Dionysos, que les Romains, qui ne cessent de parodier les rites, appellent Liber, ou Bacchus. Le Caravage sourit en lisant cette phrase.

Vous me direz que, entre Bacchus et le Christ, il existe une différence majeure. À mon tour de sourire. L'initiation consiste peut-être à trouver le passage entre les deux. « Dionysos contre le Crucifié », disait Nietzsche. Lorsqu'on médite des tableaux du Caravage, voici qu'on chemine vers un lieu où l'esprit ne se divise plus, où il accueille les figures du salut. Dionysos et le Christ sont deux visages de la résurrection ; et du mystère divin qui traverse la mort.

Dans un de ses tableaux les plus chargés de pénombre, le Caravage s'est figuré en témoin de l'arrestation du Christ ; il porte une lanterne et lève son visage pour apercevoir celui qui en disparaissant va plonger le monde dans l'obscurité. La lumière qui rayonne dans ce monde où la nuit a presque tout avalé n'est que l'ombre que fait Dieu. On ne sait si cette ombre provient de ce qu'il s'approche ou recule. On sait juste que la lanterne permet d'éclairer cette scène et de fixer inlassablement la trace de ce mystère.

J'ignore si le Caravage avait accès à des informations ésotériques, s'il connaissait les Mystères dionysiaques, en avait entendu parler, ou s'en foutait : on n'avait pas encore ressuscité Pompéi, et la villa des Mystères, qui contient la dive corbeille, était ensevelie dans le secret de la terre. Le savoir conscient du Caravage n'est pas important : lorsqu'il peint, quelqu'un comme lui en sait plus que nous tous. Et puis la transmission des rites à travers le temps n'a pas besoin d'être tangible ; elle s'effectue à travers une dimension à laquelle chaque artiste-prêtre se rend sensible par son art. Charles Baudelaire, dont l'esprit sensible au démoniaque avait accès à ces échanges obscurs, a écrit, devançant la tripartition anthropologique indo-européenne établie par Georges Dumézil – et la subvertissant d'avance –, qu'il n'existe que trois êtres respectables : « Le prêtre, le guerrier, le poète. Savoir, tuer, créer. »

Le Caravage condense dans sa personne ces trois « fonctions ». Qu'il soit poète, on le sait : il peint en inventant un monde. Qu'il soit guerrier, on le sait aussi : son caractère est batailleur, et son œuvre en conflit ouvert avec son époque. Qu'il soit prêtre est une chose plus secrète, que ce livre voudrait mettre en évidence : la peinture est un lieu où les esprits, en se rencontrant, rendent palpable l'invisible. Quelqu'un a-t-il jamais senti qu'on défaisait les brides invisibles qui lui enserrent le cou ? Depuis l'abandon qui deviendra le sien lorsqu'en commettant un meurtre il se soustraira à la société des humains, le Caravage réalise dans sa vie ce qui ne cessait de s'affirmer dans sa peinture : vivre à hauteur de vie et de mort — s'exposer au danger de l'aire sacrificielle, où l'on n'occupe jamais la place du bourreau ni celle de la victime, mais où la substitution rituelle de l'un et l'autre vous est devenue compréhensible, parce qu'en peignant, en avançant votre bras, votre main, vos doigts qui tiennent le pinceau vers une matière qui est à la fois le monde et l'autre monde, vous intervenez sur cette « pointe de toupie où reposent les dieux », dont parle Giono dans *Un roi sans divertissement*. Le dieu, alors, vous reconnaît : vous êtes consacré.

Autrement dit, dans l'aventure de ce qui a lieu avec le feu, vous occupez la position élective, effrayante, indéchiffrable du sacrificateur et celle, plus obscure encore, de l'offrande. Vous tendez le bras, comme le Christ, et vous criez sur le billot, comme Isaac. Le couteau qui s'avance vers votre gorge sans la trancher — la lame qui brille sur votre jugulaire et vous épargne — fait de vous quelqu'un qui est *donné à la solitude*. Un élu du couteau, destiné à faire parler cet instant impossible.

Le bras du Christ barre vos compositions et en divisant l'espace il interrompt la propagation du mal ; quant à vous, le pinceau qui prolonge votre geste entre dans l'épaisseur des pigments comme un couteau invisible qui tranche la lumière et les ténèbres. Un véritable peintre, qu'il le sache ou non, participe à cette dimension où la faute s'exhausse en son contraire ; où vie et mort, dans l'éclair unique qui les sépare, parcourent ensemble l'immensité de la délivrance. Où le monde enfin se dénude et murmure à son créateur qu'il s'est toujours défait de lui. Où plus rien n'arrive qui ne mette en jeu le secret de ce qui arrive.

Je ne sais où je m'aventure en parlant de la sorte, ou plutôt je le sais trop bien : la littérature est ainsi faite ; et je découvre en écrivant ce livre que la peinture aussi. Mais, surtout, je comprends mieux ce qui m'a saisi la première fois, lorsque, dans la petite bibliothèque du Prytanée militaire, j'ai vu Judith ; je vois mieux ce qui s'est élargi des années plus tard, à Rome, lorsque j'ai pu accéder à la scène entière dont elle était le personnage principal : il s'agissait d'une cérémonie, et en soulevant le rideau rouge tout assombri de ténèbres, j'assistais à un rite, j'entrais sans le vouloir, sans le savoir, sans rien comprendre, dans la dimension du sacré – dans ce lieu du dévoilement où des cortèges se meuvent en silence et font des gestes étranges, celui de tuer par exemple, de trancher une tête, de tendre un sac ou une corbeille pour y déposer la tête ou le phallus, de mettre à mort le dieu pour en célébrer l'immortalité, de se mettre à nu pour s'accoupler avec des monstres.

Une figuration incendiaire brûle au fond des rêves, et le tableau qui m'avait requis dans ma jeunesse me proposait en réalité une initiation : ce qui pousse le visible à apparaître relève d'un désir qui n'appartient à personne ; mais il est possible de favoriser une telle naissance et d'aider à son déploiement par des cadeaux : ce sont les rites, ce sont les pensées destinées, ce sont les vœux et les prières, c'est la corbeille du Caravage.

# CHAPITRE 32

## *Chez del Monte*

Fin 1595, après trois années où il n'aura fait qu'aller d'un atelier à un autre et vivre misérablement, vêtu de haillons, voici que le Caravage est sauvé de la pauvreté.

On le met en contact avec un « certain maître Valentin de Saint-Louis-des-Français, marchand de tableaux de son état », qui commence à vendre sa peinture. Parmi ses clients, il y a un prélat : le cardinal del Monte, qui non seulement achète les tableaux du Caravage, mais devient son mécène. D'après Bellori, del Monte, « fort charmé de cette peinture, combla son auteur de faveurs et l'éleva, lui donnant dans sa maison une place honorable, au milieu de ses gentilshommes ».

Le Caravage s'installe donc, à 25 ans, au Palazzo Madama, qui appartient aux Médicis et qui est considéré à l'époque comme le cœur intellectuel de Rome. Francesco Maria Borbone del Monte a 47 ans, il est vénitien, mais assure, en raison de son nom, être apparenté aux Bourbons de France ; ainsi est-il l'un des chefs du parti français contre celui des Espagnols, qui domine à Rome.

Del Monte multiplie les titres, les positions d'influence, et possède ce qu'on appellerait aujourd'hui un gros réseau : il est ambassadeur auprès du Saint-Siège de Ferdinand I$^{er}$ de Médicis, grand-duc de Toscane, il est aussi directeur de la congrégation pontificale pour la réforme de la musique liturgique, patron du chœur de la chapelle Sixtine et de l'académie de Sainte-Cécile, co-protecteur de l'académie Saint-Luc qui chapeaute les peintres, et membre de la fabrique de Saint-Pierre, une commission pontificale chargée des projets de construction à Saint-Pierre. Bref, un homme de pouvoir, un homme d'influence, un décideur.

Notons aussi que des liens de cousinage, ou d'alliance, l'unissent aux familles Colonna et Sforza qui soutiennent, comme on sait, le Caravage ; et précisons que del Monte ne protège pas les arts pour se donner un genre ou se fignoler une image de marque : c'est un collectionneur passionné de peinture qui s'intéresse intimement à la musique.

On estime d'ailleurs que les nombreux instruments de musique et les partitions qui commencent de figurer dans les tableaux du Caravage, par exemple dans *Les Musiciens* (dit aussi *Le Concert*), ou dans le sublime *Joueur de luth*, qu'on peut voir au musée de l'Ermitage à Saint-Pétersbourg, viennent du cardinal, qui lui commanda en effet des tableaux en rapport avec la musique.

On pense enfin que le Caravage, s'il jouait probablement du luth et de la guitare baroque, mais à la façon bohème, pour agrémenter ses fiestas dans les tavernes – et qu'il en usa pour importuner sa logeuse en lui jouant une sérénade tapageuse sous ses fenêtres –, se mit à approfondir ses penchants musicaux chez le cardinal, lequel était aussi féru de sciences, ami de Galilée – lequel lui offrit, dit-on, un téléscope –, et adepte, avec son frère, d'expériences dans le domaine de l'optique, qui ont sans doute influencé le Caravage, dont certains commentateurs pensent qu'il utilisait une chambre obscure pour composer ses tableaux et l'architecture des ombres portées.

Bref, à partir de la fin de 1595, le Caravage semble sorti d'affaire. Au Palazzo Madama, il baigne en permanence dans une atmosphère d'érudition raffinée, et sa peinture, si elle garde jusqu'au bout son caractère déchaîné – sauvage –, bénéficiera de cette influence savante. Beaucoup de commentateurs notent en effet à quel point les tableaux du Caravage sont remplis de subtilités théologiques : ils ne se contentent pas d'illustrer le sacrifice d'Isaac par Abraham, ou la mort mystique de la Vierge, ou l'arrestation du Christ – ils trouvent des solutions plastiques pour nous les donner à voir, *comme s'ils nous apparaissaient.*

Et si parfois le geste du Caravage semble se mouvoir dans l'élément ambigu du sacrilège, il est difficile de mesurer jusqu'à quel point il se plie à l'influence de son nouveau protecteur, à quel point il obéit à des consignes – mais n'est-il pas impossible d'imaginer le Caravage obéissant ? –, ou plus simplement s'imprègne de la culture du cardinal, dont on sait qu'elle n'était pas seulement religieuse.

Lorsqu'il peint une femme ou un homme, l'implication du Caravage est si entière, si radicale, qu'il nous importe peu que ce jeune berger à moitié nu au manteau rouge soit Jean-Baptiste, que cette jeune fille effondrée, en larmes, soit Marie-Madeleine : la densité de lumière et d'ombre qui les compose est telle que ces figures nous parlent aussi bien du visible que de l'invisible ; ces visages, ces mains, ces épaules, ces jambes, ces ventres sont si intensément incarnés (jusqu'à ce tremblement qui confond les miroirs et laisse bouché bée) qu'en un sens ils sont tous les hommes et toutes les femmes : je reconnais ce chagrin qui noue la gorge, cette rougeur qui noie soudain les pommettes, cette détresse qui coupe les jambes, cette solidité qui habite le regard ; et je crois sentir aussi, comme un rai de lumière douloureux qui vient réveiller mon esprit, combien ces grands corps gracieux, inconnus ou parfois désirables comme celui de Judith, sont en proie à une vérité qui à la fois nous les rend présents

– qu'est-ce que la peinture sinon une *présentation* ? – et les retient prisonniers du temps et de l'espace : tout ce qu'on voit d'incontestablement charnel dans les figures peintes nous transmet à ce manque et à cette exigence qui nous ouvrent les portes de ce que Rimbaud appelle le « combat spirituel ».

Voici donc que le Caravage a les moyens d'exprimer complètement ce qui anime en secret sa peinture. Les portraits de Bacchus relevaient d'une affirmation autobiographique aussi limpide que tortueuse ; le coup de force a fonctionné : il est temps d'élargir la représentation et de déployer sa palette vers d'autres événements du visible, plus vastes, plus dramatiques peut-être, plus sacrés.

On lui fournit le gîte et le couvert, on lui donne un atelier, on lui commande des tableaux, d'abord ces fameuses œuvres musicales où il élargit sa technique des demi-figures au format de groupe, puis des tableaux religieux, *L'Extase de saint François* et *Le Repos pendant la fuite en Égypte*, et même, pour la villa Ludovisi de la Porta Pinciana, dans le pavillon de chasse qui appartient au cardinal, un plafond à l'huile qui représente Jupiter, Neptune et Pluton.

Enfin, grâce au cardinal qui le recommande auprès de grands collectionneurs qui vont devenir ses commanditaires réguliers, comme Vincenzo Giustiniani et Ottavio Costa, il réalise pour ce dernier *Judith décapitant Holopherne*, le tableau qui a changé ma vie, et remporte la commande du cycle de tableaux autour de la vie de saint Matthieu pour la chapelle Contarelli de l'église Saint-Louis-des-Français, d'abord *Le Martyre* et *La Vocation*, puis *Saint Matthieu et l'Ange,* tableaux qui vont stupéfier les Romains, apporter la gloire au Caravage et lancer véritablement sa vie de grand artiste.

# CHAPITRE 33

## *Le mystère d'iniquité*

C'est à partir du *Martyre de saint Matthieu*, dont la conception a été longue et compliquée, contrairement à *La Vocation*, qui sera peinte d'un seul jet, que la violence devient l'objet même de la peinture du Caravage ; elle giclait certes déjà à l'intérieur de la chambre rouge où Judith tranche la tête d'Holopherne, avec une ampleur d'expressivité aussi précise qu'épouvantable, mais, dans la main de la belle Judith qui par son geste délivrait Israël, l'épée prenait valeur de justice : comme une sainte, elle terrassait un dragon.

Le Caravage passe une année, entre 1599 et 1600, à peindre, pour la chapelle Contarelli, *Le Martyre* et *La Vocation* (auxquels s'ajouteront deux ans plus tard *Saint Matthieu et l'Ange*) ; et c'est là, aux prises avec ces deux tableaux – et avec un sujet doublement sacré –, qu'une chose cruciale se joue pour lui, qui relève de la vocation même de la peinture : on peut considérer en effet qu'après avoir exécuté une série de tableaux extravagants, pleins d'éclats et tout animés d'ironie sexuelle, il entre dans une dimension plus fondamentale de l'art, celle à laquelle ouvre l'extase, où vie et mort se déchirent passionnément, s'étreignent d'amour et peut-être de haine.

Dans un premier temps, le Caravage écarte le rideau qui donne sur la chambre où Judith décapite Holopherne ; il s'introduit dans le domaine obscur du sacrifice, mais depuis la nervure de l'érotisme : Judith tue, mais elle est désirable ; puis le voici qui retourne les usages de la peinture dite religieuse en imposant sur les murs de la chapelle Contarelli l'huile sur toile plutôt que les mortiers employés habituellement pour de telles surfaces : en peignant *Le Martyre* et *La Vocation*, il substitue aux visions pâlottes, qui décorent habituellement *a fresco* les murs d'église, l'affirmation d'un clair-obscur apte à recueillir les conditions de violence chromatique favorables au surgissement d'une nouvelle peinture, celle qu'il a depuis des années en tête et qu'il va enfin pouvoir accomplir publiquement.

Lorsqu'on découvre pour la première fois *La Vocation de saint Matthieu*, qu'on connaisse ou non le Caravage, qu'on l'aime ou pas, le choc est incontestable : plus encore que lorsqu'on découvre Rembrandt ou Vermeer, on est renversé par ce que Jean-Christophe Bailly nomme, à propos de ce tableau, une « solitude inaugurale » ; même en 2019, au hasard d'une visite

176

touristique à Rome ou d'un voyage sentimental, on se dit qu'on n'a jamais vu ça.

Et ce n'est pas seulement parce que le Caravage ose inclure dans la peinture « sacrée » ces corps populaires, cette Rome de taverne qui apparaît dans le cadre aux côtés du Christ et de ses apôtres ; ni parce que, sans se soucier d'une quelconque hiérarchie de valeurs, il introduirait du « réalisme » là où ses collègues s'aveuglent dans l'esthétisation éthérée de la manière ou se fourvoient dans la platitude convenable : ce qui fait la différence, ce qui nous saute aux yeux, nous requiert immédiatement, et même nous appelle, c'est l'événement.

Il y a de très grands chefs-d'œuvre qui ne déclenchent pas d'autre émotion que celle que toute perfection suscite ; mais le Caravage vous ouvre violemment une brèche lumineuse sur ce qui n'avait jamais été montré : je n'avais jamais vu Jésus comme ça, et encore moins l'irruption de la grâce dans la réalité la plus quotidienne ; je ne croyais pas possible ces tonalités de crépuscule en plein jour, cette ferveur énigmatique du silence qui s'empare des instants et les élargit ; je ne connaissais pas ce soulèvement calme qui semble répondre d'avance à tout ce qui vit, cet apaisement qui connaît la violence – qui l'éprouve dans ses nerfs – et n'est pas vaincu par elle.

Autrement dit, je ne savais pas que la vérité pouvait exister en peinture, au-delà de toute décoration, ni qu'elle produisait une telle effraction : une lumière s'allume, une main vous désigne et voici que la sainteté s'incarne là, devant vous, dans ce tripot. Rien d'idéalisé, juste des corps ; et la densité des vies occupées à leurs calculs. Un éclair s'illumine, et le visible se coupe en deux : ténèbres, lumière. Votre visage reste dans le noir, ou pas. Si un peu de lumière lui parvient, comme sur celui du tout jeune homme à la coiffe empanachée qui, attablé avec les autres, soutient le regard du Christ et reçoit son éclat doré, voici que le royaume s'ouvre à vous, ici, dans le temps, et que le salutaire vous accompagne.

On raconte que les tableaux de Saint-Louis provoquèrent à Rome un engouement populaire, et que tous les jours une foule immense se pressait pour admirer ce qui n'avait jamais été peint avant ce fou de Caravage. On dit aussi que la rumeur agaça les autres peintres, qui tentèrent en vain de se gausser, de n'y voir que du Giorgione un peu noirci ou – comme Federico Zuccaro, *principe* de l'Accademia di San Luca, qui représentait à l'époque la confrérie des peintres – de condamner une telle nouveauté, qui menaçait la peinture conventionnelle : « Quel bruit ! » se serait-il exclamé.

Mais regardons plutôt ce qui est peint, avançons-nous vers cette géniale pénombre. Il n'est pas facile, à Saint-Louis-des-Français, d'envisager les tableaux : la chapelle est clôturée, on reste sur le seuil, on se contorsionne pour voir les deux toiles qui sont latérales, et puis la lumière artificielle, qu'il faut activer avec des pièces de monnaie, tombe régulièrement.

Mais malgré cela – je l'ai raconté à propos de *La Vocation* – il est possible de vivre devant la chapelle Contarelli non seulement une expérience, mais d'avoir une révélation, tant ce qui anime ces deux grands quadrilatères rend méconnaissable le cœur même du visible et nous jette au visage la nouveauté d'un réel bouleversant, celui que seule l'extase parvient à percevoir. Oui, ce qui s'ouvre à travers la double dramaturgie du *Martyre* et de *La Vocation* relève de ce qu'on voit par l'esprit, à l'instant de foudre d'une vision où l'on entre dans le sacré.

S'il a fallu un an à ce peintre si rapide pour trouver cette lumière, ce feu, cette noirceur, pour faire monter jusque dans la profondeur ocre et blanche de ces ombres des fulgurances qui soulèvent la peinture, et pour que celle-ci ne s'ouvre plus seulement à la séduction, mais à la vérité, c'est que, précisément, la vérité exigeait une métamorphose de la peinture, et du Caravage lui-même, pour que l'une et l'autre fussent à la hauteur de l'événement qu'elle contenait : un face-à-face avec le crime (*Le Martyre),* et un autre avec le Christ (*La Vocation*).

Dans la dramaturgie du *Martyre*, structurée autour d'un tourbillon de stupeur qu'obscurcit un fond noir de tombeau, l'événement du crime affecte de ses ténèbres l'entièreté de la scène pour souiller le monde. Toutes les lignes qui font chavirer cette scène tournoyante convergent sur le corps nu, brillant et cireux, le visage grimaçant et les muscles saillants du meurtrier qui, penché vers Matthieu qu'il vient de jeter au bas de l'autel, s'apprête, en lui saisissant le poignet, à l'achever d'un coup d'épée.

La haine qui sourd comme un rictus exorbité de ce bourreau aussi flamboyant qu'implacable effraie l'assemblée qui enveloppe de part et d'autre la scène du crime : tout est assombri par cet acte noir qui en transperce littéralement le cœur ; on dirait que le mal est sorti de l'abîme pour surgir tout armé sous les traits d'un tueur qui s'introduit dans le sanctuaire et interrompt la messe, semblable à ce « fils de la perdition » dont parle Paul aux Thessaloniciens, qui « vient s'asseoir dans le temple de Dieu, se proclamant lui-même Dieu ».

La gravité de cet homicide, parce qu'il est perpétré à l'intérieur du Temple, relève d'un attentat contre Dieu ; le malfaisant ne se contente pas de s'exercer à chaque instant contre les étincelles du divin qui sont éparpillées à travers le vivant, sa violence va jusqu'à souiller le sanctuaire : le ravage dont le tueur du Caravage est le bras armé désire se répandre dans les esprits.

Je n'ai jamais vraiment réussi à aimer ce chef-d'œuvre (comme j'aime – passionnément – la

*Judith* ou *La Vocation*), car il est encore empli – comme le *Narcisse*, dont l'attribution à Caravage est de plus en plus mise en doute par les historiens – de ce maniérisme que le Caravage en quelques mois va complètement détruire, et qui alourdit, je dirais même ralentit la scène, notamment à cause de la grappe de corps nus au premier plan qui, c'est très rare chez le Caravage, n'obéissent qu'à une fonction rhétorique ; mais peu importe mon goût, il y a là un événement indiscutable qui se manifeste à la fois dans la peinture et dans l'Histoire : la prise de pouvoir des bourreaux sur le visible.

Le génie du Caravage donne à voir cette invasion du mal comme un tournant historique, comme si le sac de Rome, qui ne date que de quelques dizaines d'années, ne finissait plus – comme si désormais il n'y avait plus d'abri, plus de temple, plus aucun lieu où la lumière fût capable de vivre en paix : la souillure veut s'établir partout, elle va conquérir la planète et la boucler dans son élément (notre époque de nihilisme planétaire n'hérite-t-elle pas de ce mouvement – n'en constitue-t-elle pas l'accomplissement ?).

Au bras tendu du Christ qui dans *La Vocation* allume une part de lumière dans le monde, et dont la division ouvre au royaume, s'oppose en effet celui du criminel qui lui fait face et tranche dans la lumière elle-même pour en éteindre les bienfaits. Peut-on rédimer le crime ? Les œuvres de la miséricorde vont partout ; mais il arrive que, devant le criminel, elles faiblissent. Seul le Christ sait parler à celui qui a tué, comme à tous ceux qui ont assassiné Dieu. Même Nietzsche le reconnaît dans *L'Antéchrist* : Jésus est celui qui parle à tous.

Son face-à-face avec le tueur de Matthieu, d'un mur de la chapelle à l'autre, me trouble autant que la présence du Caravage lui-même sur la scène de crime. Les temps sont ouverts, les époques se parlent, et tout peut se vivre et se penser sur un plan unique et brûlant : tous, nous témoignons. Et si le Caravage est là, s'il s'est peint non loin de Matthieu qui meurt, ou plus tard, dans d'autres tableaux, à quelques centimètres de Jésus lorsqu'on l'arrête dans le jardin des Oliviers, ou lorsqu'il ressuscite Lazare, c'est que la vie de l'esprit est sans chronologie : elle nous rend présents les uns aux autres, quel que soit le lieu obscur où notre esprit se niche, quelle que soit l'époque à laquelle nous vivons.

Le monde sans crime existe-t-il ? Ce qui écrase d'une si effrayante obscurité l'autel sur les marches duquel Matthieu est exécuté relève de ce que Paul, dans la seconde Épître aux Thessaloniciens, nomme le « mystère d'iniquité ». Un tel crime ne s'adresse pas qu'au seul homme dont il supprime la vie singulière, mais à la possibilité même d'être indemne : à travers

Matthieu, c'est l'innocence elle-même qui est visée. L'iniquité attaque le sauf. Elle veut que l'idée même de sauf soit éliminée – que seul existe le péché, et qu'il ne cesse de se répandre, sans plus jamais qu'il soit possible de le rédimer.

Ainsi le cri de l'enfant de chœur à droite du tableau ouvre-t-il un gouffre dans la représentation elle-même. Par une oblique audacieuse qui nous rend sensible l'appel même de la grâce, la main de l'ange qui se joint *in extremis* à celle de Matthieu en lui tendant la palme du martyre ouvre dans cet espace saturé de violence une brèche pour le salutaire ; mais la fuite des personnages, et plus particulièrement celle du petit garçon horrifié, semble figer ce même instant dans un désespoir glacé, comme s'il n'y avait plus rien d'autre à faire qu'à crier, comme si la bouche ouverte de l'enfant, dont on retrouvera le hurlement dans la peinture de Poussin, et jusque dans Francis Bacon, semblait faire revenir l'immémorial traumatisme du *Massacre des Innocents* et s'ouvrait désormais sur la solitude d'un monde déserté par l'innocence.

Voici que cet enfant qui tourne le dos au crime nous guide à travers l'œuvre du Caravage, nous le suivons à travers la succession de plus en plus rapide, de plus en plus fébrile, de ses tableaux : il indique une direction terrible, mais, en croyant s'éloigner de la scène du crime, il nous en rapproche et, à travers son émotion, nous ouvre à la pensée, car il témoigne avant tout par sa frayeur d'un événement qui relève d'une déchirure métaphysique, dont le sens vacille tout près de l'inintelligible.

S'agit-il de la violation de la lumière par les ténèbres ? De la manière dont la violence révèle le sacré ? De la criminalité irrémédiable de l'espèce humaine ? Ces trois choses n'en font qu'une : c'est cet événement qu'à travers la bouche de l'enfant on se met à voir.

Jusqu'ici, les bouches, dans les tableaux du Caravage, s'ouvraient par sensualité – celle des Bacchus promettait avant tout du plaisir – ; en quelques années, elles se mettent à exprimer l'horreur : désormais, c'est en criant qu'on se fraiera son chemin à travers la pénombre de l'humanité, comme si l'humanité ne pouvait plus s'orienter qu'à travers des ténèbres que le Caravage va fixer une fois pour toutes au fond de ses toiles.

# CHAPITRE 34

## *Le cul et les pieds*

On est en 1601. Le Caravage triomphe. Les contrats affluent. On le nomme, c'est écrit sur des actes notariés, « peintre le plus fameux de la ville ». Comme certains artistes actuels dont la cote s'envole sur le marché, le Caravage, à 30 ans, voit ses tableaux s'arracher pour des sommes folles, 150, voire 200 écus (il écoulait difficilement ses premières œuvres, et s'il lui arrivait de trouver un acquéreur, comme pour le *Garçon mordu par un lézard*, c'était, paraît-il, pour 6 ou 7 écus).

Sur la lancée de la commande pour l'église Saint-Louis-des-Français qui lui a assuré la gloire, il peint deux tableaux à la demande de monseigneur Tiberio Cerasi, le trésorier du pape, pour l'église Santa Maria del Popolo : *La Conversion de saint Paul*, et *Le Crucifiement de saint Pierre*, qui se font face dans la chapelle Cerasi.

Dans *Le Crucifiement de saint Pierre,* l'apôtre, pieds et mains cloués, est en train de basculer à l'envers sur sa croix ; il jette un dernier regard sur le monde tandis que trois personnages, des ouvriers plutôt que des bourreaux, s'affairent autour de lui pour faire monter à la verticale cette grosse masse de chair et de bois : le tableau tout entier est occupé, comme ces trois ouvriers, à nous exposer le travail qui est à l'œuvre dans le supplice.

Comme dans certaines nouvelles de Kafka, l'horreur que nous inspire le crime vient de la méticulosité technique avec laquelle la mise à mort est décrite : en attirant l'attention sur le fonctionnement de la mort plutôt que sur la victime elle-même, on ne se protège derrière aucune identification sentimentale, mais on transmet, d'une manière peut-être plus efficace, quelque chose de la cruauté qui rend possible une telle scène.

Bref, il me semble que saint Pierre, qui est pourtant celui qu'on crucifie, qui est pourtant le saint qu'un tel tableau est censé célébrer, passe quasiment au second plan : le Caravage peint ici un vieil homme au visage las, au corps un peu flasque, aux mains toutes calleuses, un pauvre vieux absolument pas idéalisé, sans auréole ni regard chaviré ni angelots qui tournoieraient pour son salut, un vieillard vêtu d'un simple pagne blanc qui lui ceint les hanches, livré à la dureté sans horizon d'un monde rempli intégralement par la tâche de le faire mourir, et dont le regard à demi clos se perd vers la vie qui le lâche, vers la nuit, vers le rien.

On dirait que le tableau, comme une croix, est composé en X : un ouvrier à genoux fait levier avec ses épaules pour lever la croix ; un autre – le seul dont le visage apparaît –, vêtu d'une chemise blanche au col chiffonné et d'un bout de manteau rouge qui donne un peu d'éclat à cette palette terreuse, tente de toutes ses forces de soulever la croix ; un troisième enfin, à la casaque brune et aux braies olivâtres, tire une corde à gros nœud, laquelle, avec la croix et Pierre dessus, emporte le tableau tout entier, à la diagonale, vers les pénombres de la mort, tout là-haut, à droite.

J'ai lu que Bernard Berenson, l'un des premiers historiens d'art à avoir consacré, dans les années cinquante, un livre au Caravage, a écrit, commentant ce tableau : « C'est une étude sur la manière de soulever un poids lourd sans l'aide d'une machine. »

Ce n'est qu'un bon mot, mais, de fait, cette scène sacrée, vue par le Caravage, s'offre comme la peinture d'une combinaison de gestes effectués par des professionnels : nous sommes sur un chantier, il s'agit d'ériger un pylône de telle sorte qu'il tienne planté dans le sol ; le poids de ce pylône semble poser problème, au point qu'on doive recourir à un système de bascule, tiré par une corde.

Lorsqu'on se trouve dans la chapelle Cerasi face à ce tableau, ce qui nous saute aux yeux, outre le clou enfoncé dans la main gauche de

Pierre, outre le manteau gris-bleu du saint qui glisse dans l'angle, outre la grosse pierre friable accompagnée de petits cailloux au premier plan, outre la pelle, noire et luisante qui vient souligner la ligne parallèle entre le bras de la victime et celui du bourreau, c'est l'énorme postérieur de l'ouvrier vu de dos. La lumière frappe en effet tout autant ces fesses recouvertes de drap ocre que le corps de l'apôtre ; et si le Caravage s'amuse à guider notre regard jusqu'à ce gros cul qu'il place devant la croix, et qui semble le prolongement géométrique du corps de Pierre qu'on soulève déjà dans les airs, c'est certes, comme au temps des Bacchus, pour introduire dans la peinture sacrée une insolence qui met la gravité du sujet à distance, mais aussi pour nous rappeler que la vérité n'est pas nécessairement convenable.

Il arrive que le point de vue le plus profane éclaire le sacré : c'est le cas dans ce tableau spectaculaire où l'on comprend à quel point crucifier un homme, qu'il soit un larron, un apôtre ou un dieu, implique un gros travail.

Une dernière chose : il y a le derrière de l'ouvrier, mais il y a aussi ses pieds. Le Caravage passe, depuis ses débuts, pour le peintre des pieds crasseux : on l'accusa de souiller la grandeur et, plutôt que de glorifier les saints, d'en salir l'image en exhibant leurs pieds. Ainsi de la première version du tableau qu'on lui avait commandé pour la chapelle Contarelli, et qui représentait Matthieu écrivant sous la dictée de l'Ange : une fois placé sur l'autel, les prêtres le firent décrocher. On reprocha en effet au Caravage de n'avoir pas accordé de noblesse à la figure de Matthieu, qui semblait un analphabète, et surtout de « montrer grossièrement ses pieds au peuple », comme l'écrit Bellori, l'un de ses trois fameux biographes.

Ce sont ces pieds que Lacan, un jour de voyage à Rome, chercha à voir, ces pieds ou d'autres pieds, tous les pieds qu'a peints le Caravage, ceux des gens du peuple mais aussi ceux de la Vierge : Lacan obsédé par le rite catholique du lavement des pieds, Lacan qui voyait dans ce *lieu du corps* un objet plus étrange que celui du désir, non pas ce que Georges Bataille, depuis une logique de retournement pervers, voyait dans le gros orteil, à savoir l'assomption de l'abjection comme envers subversif du sacré, mais une gloire réelle, comme celle que s'auto-procurent les souliers crottés de Van Gogh : les pieds sales du Caravage appartiennent au peuple et témoignent pour l'empreinte même du réel ; et il s'agit moins en l'occurrence d'une trace de souillure, ni même de quelque salissure, que du signe de la vérité : car les pieds sales disent avant tout l'humilité et indiquent la direction de la pauvreté, dont les Béatitudes, qui constituent la parole la plus secrète du Christ, affirment la coïncidence avec le Royaume. Les pieds sales, chez le Caravage, appartiennent aux pauvres, mais aussi aux doux, aux affligés, aux affamés et assoiffés de justice, aux miséricordieux, aux cœurs purs, aux artisans de paix, aux persécutés. Autrement dit, les pieds sont « bienheureux », ils sont aimés du Caravage et peints comme la lumière de l'âme parce qu'ils manifestent, d'une manière spectaculaire, la part invisible de ce qui entre au Royaume.

Catherine Millot raconte ainsi dans *La Vie avec Lacan*, qu'arrivé dans l'église Sant' Agostino, à Rome, Lacan se précipite dans la chapelle où est accrochée *La Madone des pèlerins* : « Lacan contempla longuement le tableau placé au-dessus d'un autel. Le pied nu de la Vierge le captivait. Il demanda au sacristain qui se trouvait là de lui apporter une échelle pour le voir de plus près. »

C'est une scène comique : le sacristain, après un peu d'hésitation, se met à sourire (il comprend sans doute qu'il a affaire à un illuminé) et obtempère ; Lacan grimpe l'échelle et examine avec attention le pied de la Vierge, sans doute aussi ceux des pèlerins, puis il en descend sans faire aucun commentaire, ce qui laisse pantois le sacristain.

Catherine Millot raconte ensuite qu'ils vont à la galerie Borghèse voir *La Madone au serpent*, dite aussi *Madone des palefreniers* ; là aussi, Lacan s'attarde sur le pied nu de la Vierge, qui écrase la tête d'un serpent, aidée en cela par l'Enfant qui pose son pied sur celui de sa mère, les deux pieds formant, dans leur communion, un sublime geste mystique, lequel, piétinant le mal, redouble du même coup l'amour qui seul est capable de le vaincre. « La Vierge Marie, avec son pied sur la tête du serpent, ça veut dire qu'elle s'en soutient », déclarera Lacan lors d'une conférence. Et Catherine Millot, au bout de ce périple podal, de s'interroger : « Je me demande aujourd'hui si Lacan, grimpé sur son échelle, ne cherchait pas la trace du serpent sous le pied de la *Madone des pèlerins*. »

Elle a raison : « marcher sur les serpents » (Luc, X, 19) est pour la Vierge une manière de rédimer le péché originel incarné par Satan ; et en un sens, *il y a toujours un serpent sous le pied de la Vierge*.

En tout cas, la mystique lacanienne du pied relève d'une grande acuité envers la peinture : ce merveilleux tableau qu'est *La Madone des pèlerins*, devant lequel Lacan avait besoin de s'élever (ne sommes-nous pas obligés, quant à nous, de nous inventer une échelle invisible ? Regarder, n'est-ce pas trouver la bonne échelle ?), bref, ce merveilleux tableau est précisément fondé, dans sa géométrie mystique, sur le rapport entre les pieds du pèlerin, dont la plante est couverte de la poussière du chemin ; ceux de la Vierge, blancs et délicats, dont on n'aperçoit que les orteils et sur la pointe desquels elle se tient comme une danseuse ; enfin ceux de l'Enfant Jésus, qui se balancent dans le vide tandis qu'il bénit les pèlerins avec son doigt levé.

D'habitude, la scène est représentée avec la Vierge sur un trône au-dessus de la maison où est né le Christ ; ici, la distance entre la Vierge et le commun des mortels est minuscule, le déhanchement maternel de la Vierge, qui lui permet de soutenir l'Enfant, crée une familiarité chaleureuse, accentuée encore par sa manière de pencher la tête, et puis c'est fou, c'est rare, c'est presque incompréhensible, et pourtant *tous les pieds dialoguent* – ils se parlent de ce que Maître Eckhart appelle la « pauvreté intérieure », celle dont se rendent capables les fidèles dont l'âme est dépouillée.

Que le bout des orteils de la Vierge dépasse de son manteau relève peut-être d'un certain sacrilège aux yeux de la branche la plus prude, la plus obtuse aussi, de l'Église, mais il est indéniable que le Caravage y dépose, en le peignant, un amour aussi délicat que celui qu'il a mis dans les mains jointes des pèlerins et dans la subtile minceur de ceux de la Vierge. Et puis la ferveur qui se dégage du rapport entre les quatre personnages de cette rencontre en a suscité à son tour une plus grande encore dans les rues : Baglione note en effet que ce tableau fut immédiatement aimé par les Romains : « l'enthousiasme populaire – écrit-il – fit beaucoup de vacarme ».

L'adoration est le sujet du tableau : celui et celle qui sont capables de venir pieds nus – c'est-à-dire depuis le dépouillement même de leur foi – jusqu'à la maison de la Vierge, dont on ne voit ici que le seuil de marbre et sur le mur de droite une étrange fissure qui rappelle la plaie du Christ, ceux-là sont dignes de sa protection.

Il faudrait écrire un livre entier sur les mains et les pieds dans la peinture : à la fin, lorsque les têtes sont coupées ou les yeux morts, lorsque le rideau rouge retombe sur les passions éteintes, il ne reste qu'eux, et ils disent tout : le temps, l'ardeur, le passage de l'invisible et les désirs.

# CHAPITRE 35

## La croupe et le néant

Je reviens aux tableaux de l'église Santa Maria del Popolo. Dans celui qui fait face au *Crucifiement de saint Pierre*, c'est-à-dire *La Conversion de saint Paul*, le Caravage renverse complètement la perspective, avec en bas le futur apôtre, désarçonné, allongé sur la terre et les bras ouverts, et en haut, traversé par la lumière de Dieu, un cheval dont le tableau nous offre, sur toute sa largeur, le flanc immense.

Rien que d'y penser, je souris : que la scène extatique inaugurale du christianisme – c'est-à-dire le miracle par lequel le plus grand persécuteur des chrétiens se convertit au Christ – soit donnée à voir à partir de la lumière orangée qui baigne un cul de cheval, voilà qui montre l'étendue de l'humour théologique du Caravage, lequel, après le succès de ses tableaux pour le cycle de saint Matthieu, n'a donc rien perdu de son insolence.

Oui, cette croupe, c'est une montagne, c'est un Sinaï, c'est une énorme étendue rousse et dorée où vient se réverbérer la lumière de quelque lanterne d'écurie ayant pris figure d'éclat divin (j'aime, tout en haut, à droite, que les rayons de Dieu viennent se fondre dans la pénombre et rimer avec le faisceau de bave qui coule du mors).

Et vers où se dirige la jambe du cheval et son sabot bizarrement tordu : n'est-ce pas vers l'entrejambe de Paul ? Regardez l'enchevêtrement noueux des jambes : à un moment, on ne sait plus laquelle appartient au cheval ou au palefrenier qui lui tient la bride, l'empêchant de piétiner son cavalier mis à terre.

Alors, qu'est-ce qu'elle fait là, cette croupe qui prend la place de tout le visible ? Eh bien, elle est la vérité elle-même. Picasso, au moment de peindre *Guernica*, où un cheval éventré agonise au milieu du tableau, n'a-t-il pas confié qu'il voulait qu'on « sente la sueur » du cheval comme dans *La Conversion de saint Paul* ?

Comment accueillir la vérité : c'est le sujet de ce tableau inouï, où le Caravage révolutionne la figuration traditionnelle du ravissement. La vérité est renversante : le Caravage prend la chose au pied de la lettre. Les bras grands ouverts de Paul s'abandonnent, autant que ses paupières closes, à l'intériorité de ce qui soudain, en vous comblant, vous jette à terre.

Le coup de force du Caravage réside là, dans son désir d'exposer l'irruption de la vérité à un corps et une âme depuis la pesanteur la plus concrète. Les corps sont lourds, ils tombent, le monde est fait de jambes et de flancs.

Dans la peinture du Caravage, les corps arrivent ainsi, couchés, assis par terre, posés à même le sol, dans la boue. Comment faire s'élever un corps ? Le sacré y pourvoit : chez les peintres traditionnels, les anges fusent dans le ciel noir qu'ils disposent sur le mur des chapelles. Mais chez le Caravage ? Même saint François dort par terre, et Jean-Baptiste s'étend sur un rocher, dans les sous-bois. Dans *La Mise au tombeau*, toutes les figures ploient vers le bas, vers la dalle de pierre et le trou du caveau où le cadavre du Christ, porté péniblement par Nicomède et Jean, va être déposé. On meurt par terre aussi, comme un vieux sac, comme Jean-Baptiste dans la *Décollation* de Malte, dont le corps traîné dans la cour de la prison est déjà rendu à la poussière. La pesanteur maintient les corps prisonniers d'une lourdeur qui s'offre à l'immédiateté du visible. Les mains empoignent les volumes, les doigts grattent les enduits.

Dans *La Conversion de saint Paul*, la sensation de pesanteur est transmise par la cécité : tant que Paul – qui s'appelle encore Saül, et dont l'identité est celle d'un général romain qui persécute les chrétiens (il ne « respire que carnage », disent les Actes des apôtres) – ne veut pas voir la vérité, tant qu'il n'aura pas *vu,* il restera aveugle, les yeux clos, collé à la terre, comme le vieux serviteur qui s'occupe du cheval.

Ainsi, dans la composition de ce tableau, plus rien ne passe par les regards, comme il est d'usage dans la peinture classique ; et non seulement un tel tableau n'offre aucun échange de regards, mais en un sens *on ne voit rien* : tout est intérieur, et à la place du visible il n'y a qu'un corps à terre et une croupe de cheval. Un miracle ? Tout au plus une scène d'écurie, un accident, un type tombé de cheval qui a peur d'être piétiné. Il n'y a rien à voir. Il se trouve qu'on en a fait reproche au Caravage : Bellori écrit, pour le critiquer, que c'est un « tableau dont l'histoire est tout à fait dépourvue d'action ».

Mais, justement, le Caravage a raison : *il n'y a rien à voir*. Je suis allé relire le passage qui raconte l'illumination de Paul dans les Actes des apôtres. Il fait route, sur le chemin de Damas, quand soudain une lumière venue du ciel l'enveloppe de sa clarté ; voici qu'il tombe à terre et qu'une voix s'adresse à lui : « Saül, Saül, pourquoi me persécutes-tu ? » Saül demande qui parle. La voix répond : « Je suis Jésus que tu persécutes. » Et voici la phrase qui donne la clef du tableau du Caravage : « Saül se releva de terre, mais, quoiqu'il eût les yeux ouverts, il ne voyait rien. »

Il y a un sermon extraordinaire de Maître Eckhart où il commente cette phrase, et en particulier la nature de ce que voit Paul. Bien plus tard, dans la première Épître à Timothée, Paul écrira : « Dieu habite dans une lumière où personne ne peut parvenir » – on n'y accède pas, il n'y a pas d'accès à Dieu, à sa perfection. Et le jour de sa vocation, sur le chemin de Damas, Paul fait l'expérience de ce néant; car, en ne voyant rien, c'est bien le néant qu'il voit – et voyant le néant, il voit Dieu. « Quand il vit le néant, ce fut Dieu », explique Maître Eckhart, car la lumière qu'est Dieu se déverse et obscurcit tout ce qui n'est pas elle : « la lumière qu'est Dieu n'a aucun mélange, nul mélange n'y tombe du dehors » – ainsi Paul a-t-il vu « la vraie lumière qui est néant ».

Bref, s'il n'y a pas d'action dans le génial tableau du Caravage, c'est pour qu'il transmette à travers sa justesse théologique l'expérience même qu'il veut saisir : l'arrivée d'une lumière néantise toute vue. Être témoin de ce néant, c'est devenir saint. Dieu ne peut pas être vu : ainsi le visible dans le tableau s'efface-t-il à proportion de l'aveuglement de Paul.

Comment avoir accès à notre propre expérience sinon en nous rendant disponible, à notre tour, au néant? La défaillance est parfois profitable : en elle s'ouvre un accueil. Paul recouvre la vue lorsqu'il consent à faillir – lorsqu'il déchoit. L'éblouissement suppose un accroc dans le réel, un déséquilibre, une faille : on trébuche, comme dans Proust, on tombe, comme dans Montaigne ou dans Rousseau, et si les épiphanies qui sont prodiguées à la faveur de tels accidents relèvent de la révélation poétique, concernant Paul, la révélation appartient à cette dimension spirituelle qu'on nomme la conversion. Ce qu'il voit à l'instant où l'éclair le désarçonne relève du mystère divin : selon la seconde Épître aux Corinthiens, il aurait été « ravi jusqu'au troisième ciel », sans qu'il sache si ce fut « dans son corps » ou « hors de son corps » ; il précise avoir alors été « enlevé dans le paradis » et avoir « entendu des paroles ineffables qu'il n'est pas permis à un homme de révéler ».

# CHAPITRE 36

## *Les yeux rouges*

Après avoir accompli en quelques années le coup de force de peindre deux grands tableaux pour la chapelle Contarelli, suivi de deux autres pour la chapelle Cerasi, le Caravage désire *se tenir de lui-même* : il quitte son protecteur le cardinal del Monte, et son atelier du Palazzo Madama, pour s'installer non loin de là, dans une indépendance farouche, au Palazzo Mattei.

Bellori a fixé les traits de cet étrange atelier, et l'on ne va plus cesser, dans les livres qui parlent du Caravage, de répéter sa description. Les modèles, dit-il, posent « dans la pénombre brune d'une pièce fermée, sous une lampe haut placée qui éclairait d'aplomb la partie principale de leur corps; et il laissait le reste dans l'ombre, afin de tirer plus de force de la véhémence du clair-obscur ».

Un atelier obscur, fermé, qui filtre le jour – autrement dit une cave : tout le contraire de ce qu'on apprend dans les écoles d'art, tout le contraire du désir humain, tourné vers la lumière. Le Caravage travaille comme un alchimiste, comme le démiurge austère et illuminé de l'Ancien Testament, comme un fabricant de lentilles : à l'origine il y a le noir, et peindre consiste à faire venir quelques rayons sur ce noir.

On bavarde à tort et à travers sur le « réalisme » du Caravage ; mais ce qui l'intéresse, ce qui lui semble réel, c'est ça : le noir – le fond obscur indélébile qu'en toute chose le troupeau humain préfère oublier. Il paraît que la mort ne peut se regarder en face ? Si le Caravage a les yeux rouges, c'est parce qu'à travers le noir originel il ne fait que ça.

Nous sommes en 1601. La gloire du Caravage est immense, son art côtoie la perfection, mais son comportement se révèle de plus en plus chaotique et le conduit régulièrement jusqu'à cet autre fond noir qui est celui des geôles. Même le cardinal del Monte, avec qui il est resté en bons termes, le trouve « extravagant » ; et ce mot, employé à des fins diplomatiques, ne fait sans doute que masquer l'agacement du prélat face à un artiste qui gâche son génie dans des folies indignes de son art.

Je me figure parfois le Caravage comme le frère impulsif de ce personnage de Shakespeare – le jeune Henri V –, futur roi d'Angleterre, qui, avant de prendre la couronne, vit aux côtés du peuple dont il a adopté le mode de vie festif et braillard, et semble très à son aise dans l'univers de débauche des tavernes. Le Caravage, lui aussi, est un roi ; et il n'aime rien tant que tremper sa couronne dans le caniveau, non pour s'encanailler, mais parce que sa vérité réside autant dans la boue des nuits que dans l'or de sa peinture : le clair-obscur n'est pas son lieu pour rien. Ce qu'il découvre à travers sa peinture – cet entre-deux périlleux où s'ajointent les ténèbres et la lumière – est aussi l'intervalle où il se glisse dans sa vie.

« *Wo aber Gefahr ist, wächst das Rettende auch* », dirait un poète allemand (phrase qu'on traduit généralement par : « Là où croît le péril, croît aussi ce qui sauve » – mais qu'on entend peut-être mieux ainsi : « Mais dans le danger croît aussi ce qui sauve »).

La dimension intime dans laquelle le Caravage évolue échappe en effet aux notions consciencieuses ; là où la plupart des gens protègent leur intérêt, il l'expose. Là où ils économisent leurs forces, il les dépense. En cela il n'agit pas *contre* son intérêt, comme le répètent les biographes qui aiment le réduire au folklore du *peintre maudit*, un pauvre type au fond, incapable de se contrôler, et qui ferait n'importe quoi de sa vie. Au contraire, je pense qu'il sait parfaitement qui il est, et que ses désordres, il les mène – je dirais même : les organise – selon une logique de singularité. À lui, le danger ne lui ôte rien, mais lui prodigue ce dont il a besoin : c'est son agencement, sa *forme de vie*, c'est une stratégie intime qui vise à maintenir son existence à la hauteur des intensités que requiert la peinture.

Comment faire pour ne pas s'égarer dans sa vie intérieure ? Le Caravage plonge dans des obscurités qui pourraient paraître insupportables à d'autres, et surtout il en revient toujours vivant. J'aime bien cette expression de Gilles Deleuze à propos de certains penseurs qui ont l'air de toujours revenir du pays des morts : ils ont, dit-il, « les yeux rouges ». Deleuze pense à Schoenberg, à Kierkegaard, à Spinoza ; le Caravage en fait partie. On dirait qu'il n'agence chaque moment de sa vie qu'afin de se trouver face à la Méduse ; là où la plupart des humains passent leur temps à éviter la confrontation avec ce qui les tue, le Caravage, au contraire, attire à lui ce que Michel Leiris appelle la « corne du taureau » : l'existence n'a de sens qu'à être mise en jeu.

Karel van Mander, un peintre flamand, contemporain du Caravage, dit à son propos : « Quand il a travaillé 15 jours, il se donne du bon temps pendant un mois. » Se donner du bon temps, pour le Caravage, consiste à jouer, boire et se battre. Van Mander ajoute en effet : « L'épée au côté, et un page à ses basques, il va d'une salle de jeu à l'autre, toujours prêt à se quereller et à en venir aux mains. »

Voilà donc l'emploi du temps du Caravage : il peint un tableau, puis il se bat en duel. En se battant, il cherche peut-être à retrouver l'intensité de la peinture, ou alors c'est en peignant qu'il rejoint l'adrénaline du combat. Peu importe : le Caravage n'en fait qu'à sa tête, ce qui, pour un artiste, est la moindre des choses. Qu'un homme pût accomplir de tels prodiges en peinture et se comporter comme un voyou a sans doute fait de lui une énigme irritante pour ses contemporains. J'ouvre au hasard sa biographie par Bellori (je rappelle qu'il a connu le Caravage) : « Son tempérament tourmenté le fit soudain déchoir de sa prospérité », ou : « Il passa ensuite à une manière obscure, entraîné par son tempérament tourmenté et querelleur. »

On lui en veut d'être un si bon peintre, et en même temps on lui en veut de courir à sa perte ; on prend de haut ses excès, comme s'ils le rabaissaient. Bref, on aurait bien aimé qu'il n'existe pas. On le préférerait mort, ce qui va vite arriver.

# CHAPITRE 37

## *La sagesse ne viendra pas*

En à peine deux ans, entre 1601 et 1603, il peint quatre tableaux liés à la vie du Christ, qui vont faire de lui, définitivement, non seulement un grand peintre, digne du Titien ou du Tintoret, mais aussi un homme dont l'âme s'élargit au point de coïncider avec le feu de l'esprit : l'extraordinaire *Mise au tombeau*, qu'on peut voir à la pinacothèque du Vatican, *L'Incrédulité de saint Thomas*, aujourd'hui à Potsdam, *Le Souper à Emmaüs,* à la National Gallery de Londres, et *L'Arrestation du Christ,* à la National Gallery de Dublin.

Dans le même temps, il est signalé une dizaine de fois pour des rixes dont la violence augmente avec le temps, toutes sortes d'agressions qui vont le mener inéluctablement vers un passage à l'acte plus grave encore.

Rappelons que le port d'armes est interdit à Rome, mais que le fait d'appartenir à la maison du cardinal del Monte lui donne le droit de porter l'épée, droit qu'il conservera bien après avoir quitté le service du cardinal, droit dont il use et abuse à longueur de nuit.

Au cours de l'été 1600, lors d'une rixe à proximité du Palazzo Madama, le Caravage blesse un homme à la main d'un coup d'épée. Il récidive à la fin de l'année, s'attaquant, pour une raison obscure, à un ancien sergent du château Saint-Ange. Fin 1600 encore, il se querelle avec un peintre, Gerolamo Stampa, de Montepulciano, et le blesse à la main avec son épée. L'année suivante, le 11 octobre 1601, voici le Caravage emprisonné à Tor di Nona pour port d'armes illicite. Ses protections – del Monte ? Les Sforza-Colonna ? – le font libérer. Puis c'est au tour du peintre Tommaso Salini, un artiste proche de son pire ennemi Giovanni Baglione, peintre et historien d'art (l'un de ses trois futurs biographes), d'être victime du Caravage, encore que personne ne sache, dans la plupart des cas, si le Caravage est l'agresseur ou l'agressé : on sait juste, s'il ne fait que se défendre, qu'il se défend très bien, beaucoup trop bien.

La plupart de ces violences sont le fruit de rivalités artistiques, ce qui, à Rome, où les conflits se règlent dans la rue, est très courant ; mais ces altercations règlent aussi des comptes liés à des histoires d'argent, de beuverie, de courtisanes.

Être fêté comme un grand peintre suscite des ressentiments qui ne vont plus cesser, d'autant que le Caravage attise les rancœurs par un orgueil qui ne se satisfait de rien : « Il ne loue ouvertement personne ; pas même lui-même », écrit Mander. L'exigence artistique du Caravage ne le protège de rien : au contraire, l'intégrité fait délirer ceux qui en manquent ; les voici chargés de haine à votre endroit, faute de savoir aimer sans convoitise. Comme le monde de la littérature, celui de la peinture est surveillé par un milieu qui ne vous épargne rien ; mieux vous écrivez, mieux vous peignez, et plus la médiocrité se transforme en rage à votre égard.

Il est vrai que le Caravage ne s'est jamais abrité, et que cela tient à son tempérament d'écorché, mais aussi à ce qu'il attend de son art, ouvert à la discorde et repoussant, de manière toujours plus aiguë, les conventions.

Le Caravage est cet homme étrange, sans frein, qui ne trouve pas contradictoire d'avoir sa chambre sous les plafonds dorés d'un palais et d'être à ce point attiré par les bouges ; qui peut se consacrer à peindre la Passion du Christ – de trouver la force d'âme, la *nouveauté d'esprit* pour faire vivre sur une toile son arrestation, sa mise au tombeau, sa réapparition devant des pèlerins ébahis –, puis se battre comme un fauve, comme un chien, *alors qu'il a gagné,* que tout Rome est à ses pieds, et qu'il est ce peintre à qui l'on propose des sommes ahurissantes pour faire une Vierge.

Oui, quel est cet enragé qui se lève à l'aube (à moins qu'il n'ait pas dormi), dispose un tapis sur sa fenêtre et seul, éméché, l'œil coupant de celui qui va empoigner sa proie dans le noir, allume des torches qui jettent de grandes ombres sur les murs afin de trouver le désert où Abraham écrase la tête d'Isaac sur un billot de bois, le palais où Salomé reçoit la tête du Baptiste sur un plateau, le coin de geôle où Jésus subit les outrages ? Quel est ce fou qui ne pense qu'à peindre, mais qu'on retrouve au matin endormi dans l'escalier, les habits pleins de sang, puant le vin, les doigts écorchés, les ongles noircis de terre sèche et la poitrine suintant de blessures ?

Impossible pour ses ennemis de comprendre pareille singularité ; et s'il leur arrive de la deviner, c'est pire : il ne faut pas que quelqu'un puisse ainsi, à leur place, être à la fois un grand peintre, un noceur, un aventurier. Son excès les diminue.

On l'a compris : le Caravage ne tient pas en place, sauf quand il peint. Les passions l'envahissent ; ses tourments paraissent inépuisables. Son esprit est brûlant, ombrageux, querelleur ; il ne supporte pas l'autorité, encore moins la contrainte et les chicanes de rivalité qui parasitent la vie entre artistes à Rome. Comme il n'aime pas *appartenir*, il dédaigne son milieu d'artistes et lui préfère des fréquentations plus troubles. Certains artistes ont besoin du tumulte, qui ne contredit pas la rigueur de leur travail : au contraire, l'excès profite à leur intelligence, et la combustion nocturne de leurs sens accorde des flammes à leur palette.

Je crois aussi, on le dit moins, que le Caravage vécut dans un éblouissement de visions où les formes sont des ivresses colorées : ce qu'il avait dans la tête relevait de l'orage, et la violence qu'il mettait à peindre ne calmait pas son ardeur. Au contraire, elle l'agrandissait : seul le sexe, peut-être, le calmait. Peindre, écrire, penser, c'est être ardent. Le Caravage est un frénétique, comme le Tintoret ou Francis Bacon. Que notre corps contienne du feu relève de l'évidence (un monde sans feu ferait pitié), mais l'essentiel est la direction qu'on fait prendre à ce feu. Les carnations, le sang et les étoffes roulent sur eux-mêmes à travers un silence de tragédie. L'angoisse possède-t-elle son geste plastique ? Les grandes scènes théâtrales et toutes chargées de crime du Caravage répondent oui. La délivrance existe-t-elle ? On ne sait pas.

# CHAPITRE 38

## *San Francesco di Caravaggio*

Je n'ai pas encore parlé de saint François d'Assise. L'une des plus belles surprises qui attendent ceux qui aiment le Caravage consiste à découvrir qu'il a peint trois fois le saint.

Cette découverte ne se fait pas d'emblée : il semble qu'il faille du temps – du moins m'en a-t-il fallu – pour que nous apparaisse la vérité d'une telle identification : la rencontre entre saint François et le Caravage n'est pas une évidence.

Et puis, on a beau avoir vu des reproductions, il arrive qu'on en regarde certaines d'un œil lointain, tout occupé à privilégier les tableaux qui nous comblent : ainsi, en feuilletant des monographies sur le Caravage, avais-je évidemment aperçu l'*Extase de saint François*, où celui-ci reçoit les stigmates et tombe dans les bras d'un ange, mais je ne m'y suis pas arrêté, peut-être parce que les épaules nues, le rose aux joues et le genou viril de l'ange étincelaient un peu trop charnellement en direction des *ragazzi* que le Caravage peignait à ses débuts.

J'avais vu aussi un *Saint François en prière* austère et ridé, que je n'aimais pas trop parce que son visage m'apparaissait ingrat : il était accroupi au-dessus d'une tête de mort, méditant sur les Écritures dont une croix tenait les pages ouvertes, et sa personne semblait tout abîmée dans un noir boueux.

Enfin, j'avais croisé rapidement un *Saint François* tenant entre ses mains la boule d'une tête de mort, et dont la bure à capuche ronde était trouée à l'épaule. Ce trou ainsi que les autres déchirures et rapiéçages de son pauvre habit de laine rêche m'avaient parlé : le Caravage en est coutumier, il le répète ainsi aux coudes d'un pèlerin d'Emmaüs, et j'aime particulièrement ces failles, ces incises, ces fissures, ces crevasses qui scandent la matière de la vie des saints (elles sont beaucoup plus que des signes de haute pauvreté, car en elles se répète *la brisure des pierres* qui eut lieu, selon Matthieu, à l'instant où le Christ est mort sur la croix).

Mais là non plus, franchement, je n'avais rien vu : le tableau m'avait échappé, et d'ailleurs, à l'époque, il n'était pas encore attribué formellement au Caravage ; ce n'est qu'à l'occasion de l'exposition du musée Jacquemart-André, c'est-à-dire très récemment, que je l'ai eu devant les yeux et que j'ai découvert à quel point, comme les deux autres, il déchirait le visible, y imposant l'événement incontestable d'une présence où l'esprit, à travers la souffrance, fait l'expérience de lui-même.

Comment un peintre débauché, querelleur et bientôt assassin peut-il sérieusement s'identifier à un saint comme François, qui a été dans l'histoire des hommes celui qui s'est le plus approché du Christ, au point qu'il fut nommé *alter Christus* ?

Par cette insistance à représenter un tel saint, en lui accordant une adoration qui relève de la *piqûre d'amour*, le Caravage révèle un trait déchirant de sa personnalité, et plus encore de ce qu'il en est de la peinture à ses yeux. Car s'il existe des artistes qui se contentent d'*illustrer* des figures religieuses, le Caravage, comme Zurbaran ou Delacroix, a besoin d'établir entre son sujet et lui la nécessité d'une expérience – d'un appel qui prenne valeur de transfert. Il n'existe pas de corps réguliers, rien ne tient debout tout seul dans les constructions picturales : il faut qu'il y ait de l'âme. Quel autre nom donner à cette puissance créatrice qui transforme de la matière grasse en forme universelle ? Faire des corps ne peut pas être seulement un travail d'artisan scrupuleux : il y a là des infinis qui se cherchent, et des vitesses d'esprit qui se trouvent.

Le Caravage aimait saint François ; il ne pensait pas seulement à lui dans ces moments où la culpabilité vous prodigue une montée facile de spiritualité. Dans sa jeunesse, il avait été sensible à l'enseignement catholique de Charles Borromée, et plus encore à celui de Philippe Néri, le fondateur de la congrégation de l'Oratoire, mort en 1595, béatifié dès 1615 et canonisé en 1622 par Grégoire XV, que peut-être le Caravage a connu dans les premières années de son séjour à Rome : ce saint joyeux, habité par l'Esprit, plaidait pour la simplicité d'un message évangélique débarrassé de tout intermédiaire, éclatait de rire au milieu des cérémonies et professait une pauvreté volontaire qui, à la fin du xvi$^e$ siècle, relevait d'une éthique de l'innocence. Il est possible que l'influence de Néri, impossible à mesurer, ait amené le Caravage jusqu'aux franciscains, dont le caractère absolu d'une foi réfractaire à l'Église et accordée à l'humilité du peuple l'attire depuis son enfance.

Chez François lui en imposent aussi l'ardeur de la solitude, la violente liberté du sacré qui se vit *dans une âme et un corps* comme un combat contre toute autorité, qu'elle soit celle de la curie romaine ou celle du diable.

On aurait tort de considérer la sainteté comme un abri éthéré où se produisent des extases qui vous immunisent : François d'Assise était assailli par les démons qui se livraient bataille dans son corps ; il en était molesté la nuit, empoigné, soulevé – le feu de sa grâce attirait le diable, qui, racontent les *Fioretti*, le pressa de sauter dans le vide, comme il l'avait fait avec le Christ (le rocher se creusa, devint une cire liquide et l'accueillit).

Sans doute est-ce ce combat avec l'infernalité qui passionne le Caravage : il s'y reconnaît. Les démons sont toujours là, vivre c'est être exposé à leur feu, et penser, aimer, prier – peindre ? – consiste à en conjurer la progression dans notre cœur.

Il existe un lieu en chacun de nous où l'on se soustrait intégralement au démon – il y a de l'*indemne* : l'expérience de saint François témoigne, d'une manière presque folle, pour cette sortie possible hors du *damné*.

Le Caravage peut-il, veut-il le suivre ? La sainteté exige d'affronter le péché jusqu'à sa racine (et de le retourner en grâce) ; il n'est pas sûr que le peintre ait la force d'âme pour rompre à ce point ses penchants ; mais la ténacité qu'il met à peindre les épisodes de la Passion du Christ et – comme on le verra – à s'approcher progressivement, dans sa peinture, de la personne de Jésus, l'ouvre à une dimension qui, dans sa vie, va transmettre ses affres à l'exigence mystique. Le désordre des passions n'est pas incompatible avec une direction plus silencieuse : les saints sont des emportés – il y a un royaume pour les violents. « Être un saint à l'intérieur de soi-même », comme l'écrit Baudelaire, ce sont les poètes qui accomplissent cette vocation.

Il n'est pas rare, en effet, que des commentateurs du Caravage présentent les trois *Saint François* comme des autoportraits ; que l'identification soit avérée ou non, il est passionnant d'observer comment, de peinture en peinture, le Caravage choisit de tramer son existence dans la matière mystique de la vie d'un saint : comme l'idéalisation n'est pas son genre, on peut être sûr que ce transfert relève d'un rapport brûlant.

La dérision de l'autorité, telle que le Caravage l'incarne à travers son comportement survolté, n'invalide pas le débordement spirituel : lorsqu'on voit dans ses tableaux comment le corps du Christ émane depuis la noirceur même de l'humanité, on saisit à quel point le Caravage était un ami de la lumière ; mais s'il tendait vers elle – s'il ne cessait, à sa manière, d'en approfondir l'abîme –, il ne pouvait sans doute s'empêcher de trouver impossible de s'égaler à de telles extrémités.

Pour quelqu'un du tempérament du Caravage, qui verse constamment dans l'excès, les béatitudes – et le catholicisme lui-même – peuvent sembler juchées sur une pointe de feu inaccessible, mais il reste toujours un peu du saint torturé chez les peintres classiques ; et parmi eux, le Caravage apparaît comme celui dont la vie se rapproche le plus des extrémités de jouissance et de supplice qui bordent la mystique.

Alors que tout a changé depuis quatre siècles, ceci demeure : une ligne tremble sur cette crête où la joie et le malheur nous entraînent ; et cette ligne, aussi crûment aujourd'hui qu'hier, nous expose à entendre une parole qui nous ravit, ou à y rester sourd : le péché est l'élément incandescent dans lequel, qu'ils le sachent ou non, évoluent les humains ; parmi eux, le Caravage ne cesse de se perdre et de se retrouver, il commet l'irréparable, puis relève en lui des éclats qui le sauvent, il plonge au fond d'une expérience furieuse et en revient béant, mort à lui-même, et tourné vers une lueur qui lui fait commencer un nouveau tableau. C'est la faute qui, lorsqu'il peint, l'accorde aux lumières.

On s'est tous habitués aux traits glorieux de saint François d'Assise tels que Giotto les a fixés, mais sa vérité douloureuse, c'est dans la peinture du Caravage qu'on y accède. Avez-vous vu un jardin, des cieux, quelque apaisement dans la peinture du Caravage ? Il y a bien quelques touches de douceur, par exemple la partie droite du *Repos pendant la fuite en Égypte*, où la Vierge à l'Enfant étend sur tout le paysage un étincelement doré qui transmet la nature, les petits bois, le vallon et ses chemins clairs, à la splendeur des choses nouvelles ; mais à part cet éclaboussement de lumière mariale, qui court aussi un peu dans le portrait de Marie-Madeleine, où l'on retrouve la même jeune femme rousse et la même lumière qui s'équivaut à la douleur et la retourne, les corps sont pris dans une torsion, une épaisseur d'ombres, qui leur interdit de se distinguer du bois de cette table ou de ce violon, qui les marie à la peau flétrie de ce fruit, qui les fait tomber.

La colère se tourne en charité : même le Caravage, à la fin, le sait. Les vrais commanditaires ne sont pas ceux qu'on croit ; et s'il est vrai qu'il y a plus de coups de hache que de caresses dans les tableaux du Caravage, cela n'enlève rien au fait que la violence ouvre sur le sacré : les papes, les cardinaux, les collectionneurs paient la peinture, mais celle-ci s'adresse à quelque chose de plus lointain, de plus obscur encore, Dieu peut-être, ou cet étrange retrait en toute chose que les peintres comprennent mieux que les autres, parce que ce qui ne cesse à chaque instant d'apparaître dans le monde et de disparaître est exactement proportionné à la faculté d'un peintre de faire *venir en être* et le monde et les hommes et les étoiles.

# CHAPITRE 39

## *La querelle avec Baglione*

On est en 1603, le Caravage peint *Le Sacrifice d'Isaac*, étonnant tableau diurne dont le savoir terrible qu'il manifeste est comme suspendu dans l'écrin d'un répit (celui du sacrifice arrêté qui fonde la consécration d'Isaac, élu, épargné) – le seul tableau du Caravage, peut-être, à se passer de noir, avec *Le Repos pendant la fuite en Égypte,* tout baigné quant à lui d'une rousseur paisible et musicale.

Dans *Le Sacrifice d'Isaac*, derrière la scène terrible où Abraham tend le couteau vers la gorge d'Isaac, tandis que l'Ange lui retient le bras et désigne le bouc, un surprenant arrière-plan ouvre lui aussi sa contrée de douceur, tout enroulée d'une lumière chaude de fin d'après-midi, avec ses lignes de cyprès qui courent le long d'une campagne vallonnée toute toscane ; et tandis que le regard se perd là-bas, dans les vallons du crépuscule, et respire un peu de ce bon air d'Italie qui fait gonfler la poitrine comme l'odeur du bois et celle des fumées après les vendanges, Isaac, la tête maintenue sur un bout de bois par son père, nous appelle en un cri muet.

Sa bouche ouverte semble continuer le cri que poussait l'enfant dans *Le Martyre de saint Matthieu* ; mais celui-ci pouvait encore s'enfuir et s'éloigner de la contagion criminelle qui frappe l'espèce – Isaac, non : il est impliqué dans ce face-à-face auquel l'assigne la violence du sacré, et si le sacrifice s'arrêtera sur sa nuque, inaugurant une nouvelle époque où l'on n'offrira plus à son dieu de vivantes immolations, mais des substituts (un animal, puis la mémoire de l'animal, puis la prière), il témoigne par son abandon devant la décision du Père d'une vulnérabilité qui annonce et préfigure celle du Christ en croix.

L'histoire de ce cri qui déchire l'espèce humaine est incessante ; et dans la peinture du Caravage, il troue les corps et les destine à fixer l'horreur : la solitude réside dans la bouche.

Plus tard, quelqu'un comme Francis Bacon verra dans le cri la chose absolue qu'il faut nécessairement peindre, celle qui confère leur vérité aux corps peints, qui les fait tenir depuis ce trou à partir duquel ils existent ; et toutes ces bouches ouvertes qui agonisent ou implorent semblent composer, à travers leur répétition dans les tableaux du Caravage, la figure exorbitée d'un œil – cet œil qui n'appartient plus à personne, qui peut très bien aussi être celui d'un âne, dont le regard humide et déchirant nous atteint parmi les feuillages du *Repos pendant la fuite en Égypte*, ou du bouc qui attend qu'on le substitue à Isaac. Cet œil nous contemple depuis un instant dont il est impossible de faire l'expérience ; c'est l'instant qui nous sépare du vivant, et que seule la peinture nous donne à voir.

Le modèle qui pose pour Isaac s'appelle Cecco da Caravaggio ; il a 13-14 ans, il est l'assistant du Caravage, et plus tard deviendra peintre à son tour. C'est encore lui dans un tableau en lequel on a pris l'habitude de reconnaître un Jean-Baptiste, tableau que j'ai vu à Rome, au Musée capitolin, mais aussi reproduit plusieurs fois (par le Caravage lui-même ?) à la Galleria Doria Pamphili : dans ce tableau, un adolescent tout nu, aux yeux cernés, avec un sourire espiègle et enfantin, enlace joyeusement un bouc. La présence de ce bélier caressé par une lumière dorée nous parle d'Isaac, mais il s'agirait bel et bien du Baptiste, représenté plutôt d'habitude en compagnie d'un agneau, et dont la position de Précurseur se trouve merveilleusement accueillie dans le monde plus ancien de l'Ancien Testament qui s'enlace au Nouveau, où, adulte, il rencontrera le Christ.

C'est encore ce jeune homme au sourire irrésistible et ingénu, Cecco da Caravaggio, qui pose tout nu, le sexe à l'air pour *L'Amour vainqueur*, un tableau exécuté pour le marquis Vincenzo Giustiniani, qui le dissimula derrière un rideau de soie verte afin de le soustraire à la vue de ses invités et de leur en réserver la surprise : car la charge érotique de ce tableau aussi frontalement sexué, où un ange aux ailes noir et blanc nous dit carrément la vérité sur son sexe – et où, comme l'a remarqué Michael Fried, cet ange, ou plutôt ce jeune homme qui joue à l'ange et fait la bête, comme dirait Pascal, désignerait en secret de sa main gauche dissimulée derrière son dos le lieu d'où vient son plaisir –, bref ce tableau scandaleux dans lequel se désinhibe *innocemment* ce qu'il en est du plaisir de la chair – et placé sous l'égide de la phrase de Virgile : « *Amor vincit omnia* » (« L'amour vainc tout ») – nécessitait, comme des siècles plus tard *L'Origine du monde* de Courbet installé par Lacan derrière un cache coulissant, couleur chocolat, d'être caché.

Le tableau, en effet, crée un scandale. On ne cherche pas à comprendre pourquoi ce nu qui fait l'ange est entouré par des instruments de musique comme une viole et son archet, par un luth, une équerre, une partition, un manuscrit et une plume, une armure, une couronne de lauriers, une sphère étoilée, un sceptre – objets qui ouvrent l'espace de ce grand nu rieur au vaste terrain de la connaissance et des arts, à l'architecture, à l'astronomie, à l'astrologie, et qui inventent, à travers cette complexe allégorie du peintre-enfant angélique et sexuel, un usage libre et sensuel du savoir.

La préoccupation sexuelle n'est pas contradictoire avec le savoir. Le profane ouvre le sacré. Le ciel est à la portée du sexe. Et se dessine même ici, à travers la lumineuse effronterie de ce corps libéré des tabous, quelque chose du gai savoir nietzschéen.

On se contente d'y déceler une provocation de la part du Caravage, et voici que l'affaire dégénère. Par jalousie, et pour s'attirer les grâces de commanditaires dont les goûts sont plus classiques, son rival Baglione peint dans la foulée, pour le cardinal Giustiniani, qui lui offrira une chaîne en récompense, une réplique à ce tableau et en prend le contrepied : *L'Amour sacré et l'Amour profane*.

Il est amusant d'aller voir les deux tableaux à la Gemäldegalerie de Berlin : ils sont placés l'un à côté de l'autre, de part et d'autre d'une porte qui les sépare comme deux continents ; et leur cohabitation, sur l'inénarrable fond rose des murs de la Gemäldegalerie, révèle le fossé entre deux conceptions de la peinture. Dans le tableau de Baglione, un ange emphatique, harnaché d'une armure et plein d'un courroux céleste, vient donner une correction à un amour profane, très dénudé, qui ressemble au jeune garçon bouclé de *L'Amour vainqueur* du Caravage. Et l'ange du ciel en profite pour confondre par la même occasion un hideux satyre aux cheveux très bruns, qui semblait avoir accès à la couche du bel amour, et en lequel certains ont vu une caricature du Caravage, stigmatisé ainsi dans son homosexualité.

Fort de ce duel, Baglione obtient la commande d'une *Résurrection* pour l'église du Gesù, à Rome, que le Caravage convoitait. Avec ses amis Onorio Longhi et Orazio Gentileschi (le père de la célèbre Artemisia), le Caravage compose alors, pour se venger, une suite de poèmes satiriques, explicitement injurieux, qui sont rapidement colportés à travers les milieux artistiques romains, où il lui reproche son pastiche et d'être un peintre minable ; il exhorte enfin Baglione à se « torcher le cul » avec ses dessins et cartons, ou de « défoncer le cul de la femme de Mao » (un ami peintre), « qu'il – précise-t-il – ne baise même plus avec sa bite de mulet ».

Cet humour, qui manie l'obscénité avec un excès qui outrepasse l'idée même d'inconvenance – et se rend parfaitement irrécupérable –, fait de Baglione, rebaptisé « Gian Coglione » (Jean le Couillon), la risée de tout Rome.

Voici que, le 28 août 1603, Baglione, protégé des jésuites et du pape Clément VIII, porte plainte pour diffamation. Au procès, le Caravage se contenta, avec une ironie cinglante, d'affirmer ses goûts en peinture et continua à dénigrer Baglione – un « mauvais peintre » – sans pour autant endosser la responsabilité des libelles. Il fut reconnu coupable et condamné à quinze jours de prison, mais fut relâché avant d'avoir purgé entièrement sa peine, et pendant un mois fut mis sous liberté surveillée.

Le Caravage continua ses frasques, agressant verbalement des passants, bousculant des gens d'armes et se faisant arrêter plusieurs fois pour port d'arme illégal ; et voici que, un soir de 1604, il jette à la figure d'un aubergiste le plat d'artichauts brûlants que celui-ci vient de lui servir.

Puis, le 29 juillet 1605, il blesse à la tête un notaire, Mariano Pasqualone, qui lui intimait de ne plus fréquenter Lena Antognetti, une courtisane qui a posé pour lui à plusieurs reprises, dans la *Madone des pèlerins* et dans celle dite « au serpent » (un document de police la présente d'ailleurs à cette occasion comme étant « sa femme », ce qui laisse entendre entre le Caravage et elle une relation amoureuse quasi certaine). Il semblerait que Pasqualone avait tenté de séduire Lena, laquelle, dit le document, « se tient debout Piazza Navona » ; le Caravage aurait ainsi défendu l'honneur de cette femme qu'il aimait.

À la suite de cet esclandre, et devant la gravité des faits qui lui sont reprochés (car le coup porté à la tête du notaire venait de son épée), le Caravage est obligé de fuir Rome pour se rendre à Gênes. C'est la première fois qu'il prend la fuite, et celle-ci ne fait qu'en annoncer d'autres, plus lointaines, plus longues.

Encore un mot : à son retour à Rome, au bout de quelques semaines d'exil, il s'aperçoit que ses biens ont été séquestrés. En effet, sa logeuse, qui était excédée que son locataire ne payât plus son loyer, et parce qu'il avait dégradé son plafond pour se faire un atelier, lui avait fait interdire sa porte et confisquer ses biens. Qualifié de « sans-domicile-fixe », le Caravage, à son retour, jette des pierres contre les fenêtres de son ancienne logeuse jusqu'à ce que les vitres explosent, puis revient dans la nuit pour se livrer avec des amis à un tapage nocturne vengeur.

Le voici hébergé chez un ami, Andrea Ruffetti, où des juges, à qui on l'a dénoncé, viennent l'interroger peu de temps après : le Caravage, lors d'une nouvelle rixe, est blessé à la gorge et à l'oreille gauche ; il prétend qu'il est tombé lui-même sur son épée. Ainsi va, alors, la vie du plus grand peintre vivant.

# CHAPITRE 40

## *Cézanne et le Caravage*

C'est peut-être étrange, mais il m'arrive de penser en même temps à Cézanne et au Caravage. Quelque chose d'hostile, d'agressif, d'incoercible animait Cézanne, dont on sait qu'il a copié *La Mise au tombeau* du Caravage : le face-à-face avec la nature se devait, à ses yeux, d'être implacable. Le Caravage, lui, était irritable parce que le monde ne cesse de résister et qu'il faut, quand on est peintre, le plier à son art.

Comment faire lorsqu'on a passé la journée, la nuit à peindre, et qu'arrivent les marécages de la retombée ? Comment supporter ces humains qui bavassent à propos de peinture et combinent leurs petites affaires en trouvant des attraits à tout ce qu'il y a de plus médiocre ? L'emportement du Caravage vient de ce que vivre en dehors de la peinture est tout simplement insupportable : il n'est que peinture, et sa manière d'avoir l'air de la dédaigner, de la tenir pour rien, vient de son amour absolu pour tout ce qui peut se peindre.

Contrairement à ce qu'a pu affirmer Poussin, le Caravage n'est pas venu pour « détruire la peinture » : il n'aimait qu'elle.

S'est-il engagé pour finir dans des voies plus sereines ? La sagesse semble étrangère à l'émotion du Caravage : jamais aucun artiste ne s'est autant épuisé les nerfs à vouloir saisir la vérité en peinture, c'est-à-dire à sortir le vif de la mort.

Caravage s'est peint hirsute, emporté, sombre, rancuneux ; on devine le personnage *impossible,* en qui les soubresauts d'imprévisible réservent une part de silence abrupt. Le déchaînement s'accorderait-il à ce qu'il y a de plus innocent en vous, il est pourtant reçu comme un outrage.

On voudrait que les artistes ne débordent pas, mais alors qu'y aurait-il en eux de vivant ? L'excès parfois s'anéantit, chez ceux qui *se croient* artistes, dans le ridicule de la pose ; mais le Caravage, quant à lui, ne poursuit qu'une chose, qui est l'illimitation de sa liberté. La peinture est ce lieu où *deux extrémités se touchent et remplissent l'entre-deux* – autrement dit, la peinture, comme la littérature, accueille l'infini.

Le Caravage sait parfaitement que toutes choses sont sorties du néant et portées jusqu'à l'infini : à quoi d'autre ses journées seraient-elles consacrées ? Il faut des milliers d'heures pour faire un tableau. Peut-on même, sans avoir suffisamment contemplé ces infinis, sans les avoir cherchés en soi et dans les nuits, dans les yeux des autres, dans la mort qu'on discerne parmi les choses les plus crues, se porter à la recherche de la nature, comme si l'on avait quelque proportion avec elle ?

Les peintres ont cette audace, ils supposent à leur main une capacité illimitée, comme la nature. Voici le Caravage : s'il défie la Création, c'est pour enfin la contempler en silence, et s'il la cerne d'un fond noir si brutal, c'est pour que vous n'alliez pas vous divertir en la contemplant.

Les yeux qui, dans un salon, une galerie, ou même dans l'atelier, se posent sur un tableau sont tièdes, alors que la peinture brûle comme de la glace noire. Le Caravage vous met les yeux dans ce noir afin que vous cessiez de vous en croire indemne.

Ce qui précède un instant, ce qui le suivra, ces choses ouvrent la pensée : il faut mille pensées pour accomplir un tableau. Les gestes sont des univers, leur mouvement attire les comètes. Je me tiens là parfois, dans ce vide entre une lumière et une autre ; je regarde sans fin : c'est mon seul pays.

Car s'il existe quelque chose qui n'est pas asservi en ce monde, même aujourd'hui, c'est une certaine manière de vivre l'exigence de l'art : l'expérience poétique est la seule qui échappe à l'organisation de la servilité. La liberté est partout offerte, mais seuls en usent avec souveraineté ceux qui ont tué en eux la servitude : la brutalité du Caravage est celle du plus grand des délicats.

J'aime bien ce portrait que Georges Bataille fait de Cézanne : « Dans la naïveté de Cézanne, dans cette obsession triste des yeux traqués qu'il donne souvent à ses portraits, nous pouvons découvrir une sorte de royauté assyrienne, barbare et blessée. »

Il y a du Caravage dans cette irascibilité de caractère. Une « *royauté assyrienne, barbare et blessée* » : le Caravage en Holopherne ? Il est tout autant Judith empressée de liquider le roi.

Après tout, le Caravage tuera – il est même l'un des seuls peintres à avoir vécu le crime jusqu'au bout. Et depuis Dostoïevski, nous savons que le crime ne s'arrête pas à l'acte, mais que la vie d'un criminel en fuite est déjà son châtiment : celui qui tue un homme pour s'en débarrasser ne fait plus que vivre avec lui.

# CHAPITRE 41

## *Sainte Catherine d'Alexandrie*

En décembre 2017, je me rendis à Milan pour voir l'exposition « Dentro Caravaggio » (« À l'intérieur du Caravage »). J'avais décidé d'y passer la journée : je pris un avion à l'aube, et un billet retour pour le soir même. Et voici donc qu'à neuf heures du matin je faisais la queue dans la cour du Palazzo Reale ; l'exposition était un tel succès qu'il n'avait pas été possible de réserver ; j'avais sauté dans un avion à l'enthousiasme et tombai sur une file énorme. L'une des gardiennes me dit qu'il y avait trois heures d'attente : je m'en fichais, j'étais à Milan, j'allais voir des Caravage, j'étais plein de joie.

Et puis j'avais avec moi *L'Âge d'homme* de Michel Leiris, son premier livre, dans lequel il associe, à partir d'un diptyque de Cranach, les figures de Judith et de Lucrèce, dont il fait un tandem d'héroïnes qui nourrissent ses fantasmes sexuels. J'avais beaucoup aimé ce livre durant mon adolescence, mais, à le relire ainsi 30 ans plus tard, je trouvais son masochisme pénible :

Judith était assimilée à une « traîtresse », à une « ogresse en plein délire » qui, ayant découpé la « boule barbue qu'elle tient à la main comme un bourgeon phallique », aurait très bien pu, dit Leiris, trancher le « gros membre de l'homme aviné » de son vagin denté ou d'un soudain coup de dents.

La complaisance de Leiris me répugnait : « traîtresse », Judith ? Au contraire, elle se sacrifie ; et son crime n'est pas le fait d'une bacchante endiablée, comme l'hallucine Leiris : c'est un acte biblique dans la guerre qui oppose les Assyriens à Israël, et c'est en tant que tel un accomplissement mystique (en éliminant Holopherne, ne délivre-t-elle pas son peuple du mal ?) Tout à sa terreur des femmes – et à la misogynie qui l'anime –, Leiris la voit comme une Gorgone fauchant des gorges avec ses yeux de Méduse, et il ne peut s'empêcher de l'imaginer, sortant de la tente d'Holopherne, « la chair encore couverte de déjections et de sang ». Prévisible, il ajoute, surlignant lourdement son petit théâtre sexuel : « Tel Holopherne au chef tranché, je m'imagine couché aux pieds de cette idole. »

Excédé, je balançai le livre à la poubelle, sous le regard amusé de la gardienne.

L'exposition était stupéfiante : dans ce même palais où, en 1951, Roberto Longhi avait organisé la résurrection historique du Caravage, elle réunissait vingt tableaux du peintre et présentait chacun d'eux isolément. Il y avait une toile par salle ; et de grands espaces qui, en tournant autour de la *Madone des pèlerins* ou du *Martyre de sainte Ursule,* permettaient de voir les tableaux par-derrière – d'avoir accès, grâce à des radiographies, à la genèse de chaque œuvre.

Je cherchai d'emblée Judith : l'exposition s'ouvrait avec elle, le catalogue l'annonçait dans la salle 1. Je m'avançai : pas de Judith. D'ailleurs, la salle 1 n'existait pas : on était tout de suite précipité dans la salle 2. Ce mystère me gâcha le début de la visite, car je ne cessai d'aller et venir, d'une salle à l'autre, en cherchant où avait bien pu passer Judith. Cette idée fixe m'empêcha de regarder les autres tableaux, et plus encore d'en jouir. Il fallait absolument que je la revoie, d'autant que les phrases de Leiris en avaient souillé la personne ; retrouver Judith, c'était me la réapproprier : l'érotisme ne se partage pas (sauf dans les étreintes, sauf dans l'amour).

En cherchant Judith, je tombai assez vite sur un tableau que je n'avais jamais vu et qui suscita chez moi, au point que je restai quelques instants bouche bée, un coup de foudre semblable à celui qu'avait provoqué dans ma vie l'apparition de la belle tueuse aux sourcils froncés.

Venais-je de rencontrer une nouvelle fois *l'image de mon désir* ? Je souriais intérieurement à l'idée de tomber encore une fois amoureux d'une figure peinte : un autre chapitre de ma vie érotique intérieure allait s'ouvrir, et cette fois ma contemplation, ma jouissance, mon obsession seraient consacrées à une sainte, à la plus intelligente d'entre toutes les saintes : Catherine d'Alexandrie, puisqu'il s'agissait d'elle.

Dans le tableau du Caravage, qui date de 1599, qui lui fut commandé par le cardinal del Monte, lequel faisait collection de représentations de sainte Catherine, et que le peintre a exécuté un peu avant de faire *Judith et Holopherne*, le regard impérieux de la sainte nous défie, comme si elle continuait à répondre à ses accusateurs, comme si elle opposait à son supplice la noblesse de son dédain. Elle s'appuie contre la roue aux clous pointus avec laquelle on la tortura et tient de ses doigts délicats l'épée qui lui trancha la tête. À ses pieds, la palme du martyre, et, flottant sur sa chevelure, une fine auréole dont le cercle doré répond à la roue et accorde l'espace tout entier du tableau au tournoiement ineffable du divin, où les arrondis se marquent dans le visible, avec la ligne du corsage et le bas de la robe de Catherine, mais aussi dans l'invisible, où Dieu envoie la force de sa vérité à celle qui va mourir, la fragilité se tournant ainsi en confiance, et la mort se trouvant vaincue par la beauté de l'âme de Catherine, dont même ses accusateurs furent saisis, au point, raconte *La Légende dorée*, de se laisser convertir par elle.

Et puis la splendeur de ce tableau venait aussi des vêtements ; jamais les étoffes n'ont été aussi belles chez le Caravage, aussi enflammées de précision : velours, lin, broderies d'or. Les couleurs éblouissantes de la robe noire rehaussée de brocarts, celles du manteau bleu nuit, où chatoient des motifs dorés, la blancheur de la blouse aux manches retroussées et l'incarnat du coussin sur lequel elle est agenouillée : tout ici brille d'une intensité lumineuse qu'enveloppe un écrin de velours noir.

Quelque chose dans la moue de cette femme me faisait penser à Judith ; et le bel ovale de son visage entouré de boucles, le léger renflement enfantin de la chair sous le menton, l'éclat intrépide de son œil : tout me portait à reconnaître en elle une autre Judith – sa sœur chrétienne.

J'étais illuminé doucement, comme on l'est quand s'augmentent nos raisons de vivre. Ne croyez pas ceux qui prétendent qu'être sous le charme de quelqu'un est une défaite : j'aime sans réticence.

Et puis j'étais requis, une nouvelle fois, par le mystère d'un corps de sainte. En vivant à Rome, dix ans plus tôt, j'avais beaucoup fréquenté les sculptures du Bernin, et parmi elles, ces deux saintes en extase que sont Thérèse, dans l'église Santa Maria della Vittoria, et la bienheureuse Ludovica Albertoni, dont le tombeau se trouve dans l'église San Francesco a Ripa. Ces ravissements baroques m'apprenaient combien la jouissance est plus vaste que le monde, et combien l'extase nous transmet au divin : à travers ces orgasmes féminins sculptés par le Bernin s'allume le sacré. Dieu n'est pas puritain : il fait jouir les femmes, qui en jouissant se rapprochent de lui – et coïncident avec son buisson ardent.

Et puis les saintes, je les aime parce que leur feu est extrême. L'exigence qui nous porte à vivre selon notre solitude (selon l'ardeur qu'elle contient, et la direction étoilée qu'elle donne à notre existence), personne ne l'incarne d'une manière plus absolue que les saintes. Leur corps se sépare de l'espèce humaine ; elles interrompent la reproduction ; elles leur préfèrent une parole. Cette parole, en ouvrant une béance dans la chaîne répétitive de l'humanité, réveille une lumière que le travail des hommes obscurcit. Le corps de la sainte contient le Royaume, qui déborde tous les corps ; comme un anneau de Möbius, où l'intérieur et l'extérieur ne cessent de nouer passionnément leur géométrie paradoxale, il accomplit en elle le mystère des enroulements du divin dont le centre, on le sait, est partout – même dans mon corps – et la circonférence nulle part.

*La Légende dorée*, ce recueil de vies des saints écrit au xiiie siècle par Jacques de Voragine, un prêtre dominicain qui devint archevêque de Gênes, raconte que la noble Catherine, fille de roi, et qu'on peint généralement avec une couronne à l'arrière de la tête, refuse de se soumettre à l'empereur Maxence, qui oblige tous les habitants d'Alexandrie à sacrifier à des idoles ; elle dispute avec lui en termes théologiques si éloquents que l'empereur ne trouve rien à lui répliquer et fait appel à cinquante orateurs, parmi les plus sages, qui se succèdent pour la confondre, mais son intelligence les dépasse. Elle fait ce qu'on a appelé, au procès de Jeanne d'Arc, des « réponses superbes ». Les cinquante sages affirment impossible que Dieu se fasse homme, et plus encore qu'il souffre, comme ce Seigneur Jésus-Christ auquel elle semble croire ; mais Catherine leur démontre que cette bonne nouvelle était annoncée déjà par les païens, et que Platon lui-même avait établi que Dieu est un cercle, mais qu'il est échancré – « coupé par une sécante », écrit Voragine. Elle ajoute que la Sibylle avait prophétisé : « Heureux est le dieu suspendu à un bois. » Les orateurs se convertissent. L'empereur les condamne au feu et, baptisés par Catherine du signe de la croix, ils meurent sans être atteints par les flammes. L'empereur cherche alors à l'épouser, elle répond qu'elle s'est donnée comme épouse au Christ ; il ordonne qu'on la frappe avec des crocs de fer, mais des anges pansent ses blessures. On prépare des roues entourées de scies et de pointes afin de l'y attacher et de déchirer ses chairs, mais un ange brise cette meule. Alors l'empereur décide de la décapiter. Au lieu de son supplice, une voix s'adresse à elle : « Viens, ma bien-aimée, ma belle ! Voici la porte du ciel qui t'est ouverte. » Il coule de son corps du lait, plutôt que du sang ; et des anges l'emportent jusqu'au mont Sinaï, où un monastère porte son nom.

Le Caravage ne peint pas l'extase qui consume Catherine d'Alexandrie, ni ne suggère ses prodiges, mais – comme il l'avait fait quelques années plus tôt, du temps de sa « jeunesse folle », avec le portrait d'un Bacchus qui affirmait frontalement son rapport à l'être –, il nous donne à voir le corps de la sainte dans l'acte mystique de sa présentation à Dieu : intacte et glorieuse, concentrée.

Et comme le Caravage n'a rien d'un esprit éthéré, il la peint dans sa chair la plus vigoureuse, parce qu'ainsi sont les femmes de tête : leur corps ne ment pas, et la beauté de l'intelligence élargit leurs attraits. En traversant sa propre mort, elle se donne à Dieu ; mais, en même temps, elle nous fixe éternellement, avec cette compassion indomptable qu'ont les grandes âmes pour ce qui a tenté de leur faire obstacle. Son beau visage est une figure de l'intraitable, qui est l'une des vertus secrètes de la charité. L'irréductible n'est-il pas ce qu'il y a de plus attirant ? Mon désir, sa joie, son feu s'expriment là. Regardez les saintes : le miracle n'est pas une action fade, il réside dans l'affirmation d'un corps que les offenses n'atteignent pas et sur lequel la mort elle-même est sans effet.

Bref, j'étais conquis. Grâce au feu blanc d'un tel tableau, grâce à cette femme, je repris ma visite avec un courage nouveau.

Tout de suite, dans la salle suivante, un autre tableau du Caravage que je n'avais jamais vu attira mon attention. C'était *La Conversion de Marie-Madeleine,* peint lui aussi vers 1598-1599, un tableau dont les coloris éclatants de rouge, de jaune et de vert passé qui se détachent, presque flamboyants, sur un arrière-fond sombre, soutiennent un échange passionné entre deux sœurs : Marthe blâme Marie pour ses péchés et lui confie les miracles du Christ, qu'elle énumère sur ses doigts ; dans le même instant, élargie par la parole inspirée de Marthe, penchée modestement vers sa sœur qui, elle, se tient, altière, comme une princesse aux atours splendides, avec ses manchettes de gaze et son corsage brodé avec une délicatesse où se lit la maîtrise raffinée du Caravage, Marie-Madeleine se métamorphose.

Ce qu'on voit, c'est sa conversion, le moment où son cœur s'élargit. Une fleur d'oranger, serrée entre ses doigts, indique ses noces instantanées avec le Christ, ainsi que le chemin d'une fertilité immaculée qui s'ouvre désormais dans sa vie ; un pot d'onguent et un peigne ébréché, posés sur la table, témoignent de son renoncement au péché ; et toute la scène est illuminée par une lumière qui baigne le visage et la gorge de Madeleine et se reflète dans le miroir sous la forme d'un petit carré blanc dans lequel se dépose le mystère de la Présence.

Le visage de Madeleine me semblait familier ; ses lèvres ostensiblement fermées, son teint blanc ourlé d'ombre dorée, ses grands yeux, ses boucles, je les connaissais. Mais c'est le petit carré blanc qui me subjugua. Il était la trace du miracle, la brèche étincelante par laquelle le monde s'ouvre ; en lui convergeaient à la fois cet éclair qui sépare mort et parole – qui fait apparaître l'invisible –, et ce point aveugle qui échappe à toute visibilité et dont l'éclat phosphorescent désigne une fixation impossible, voire surnaturelle.

La peinture, et rien qu'elle, est capable de nous donner à voir ainsi – à travers l'énigme d'un reflet où se rencontrent l'œil du dieu autant que notre éblouissement – la limite de la représentation. Je me disais : on ne peut pas aller plus loin que ce carré blanc. Pas de chérubin, pas de colombe, juste un carré de lumière. Le Caravage est un théologien sobre.

Et tandis que je m'éloignais, le visage de Marie-Madeleine se superposa dans ma tête à celui de Catherine d'Alexandrie. N'étaient-ce pas les mêmes ? Je m'approchais d'une résolution intime. Mon cœur battait fort.

Je pris soin de lire le long texte affiché à l'entrée de cette salle : j'appris qu'effectivement le modèle qui avait posé pour ces deux tableaux était le même. Il existait également un portrait d'elle, datant de la même époque, qui avait appartenu à un musée berlinois, avait brûlé juste après la guerre, et dont on ne possédait qu'une photographie.

Cette femme était une « *corteggiana scandalosa* », l'une de ces courtisanes sorties de la misère, qui vivaient à l'époque sous le quartier huppé de la Trinité-des-Monts, et étaient parfois les maîtresses de nobles romains.

Elle se nommait Fillide Melandroni. Toscane, native de Sienne, elle avait 18 ans. Le texte disait aussi que le Caravage et elle avaient sans doute eu des relations intimes et qu'elle était le modèle qui avait posé pour *Judith décapitant Holopherne*.

Rimbaud dirait : « Je reconnus la déesse. » J'eus un choc et relus plusieurs fois le texte italien. Oui, c'était bien elle – c'était Judith. Ou plutôt Judith était en réalité Fillide Melandroni. Ainsi rencontrais-je, au bout de trente-cinq ans, la femme qui était entrée la première dans ma vie et lui avait accordé en même temps que la chance d'une passion, la densité de l'idée fixe, et l'entrée dans cette fiction, sans cesse réécrite, qui nous pousse à chercher sur des visages inconnus des réponses à la fébrilité de vivre.

Les émotions sont parfaites : avec elles renaissent des minuties de pudeurs oubliées, des nuances d'amour ; on entend de nouveau son cœur ; face à la révélation de cette femme qui, après m'avoir accompagné si longtemps, se multipliait soudain sous mes yeux, je fus pris d'une gratitude immense.

De Judith à Catherine, et de Catherine à Madeleine, c'est tout un parcours qui s'écrivait à mon intention en lettres de feu. Ce feu est ma chance. La peinture s'ouvre ainsi dans ma vie, et avec elle, les merveilles qu'aucun monde ne parvient à clôturer. Il y a quelque chose de tragique dans cet élan qui parcourt à l'intérieur de nos vies les figures de l'insaisissable, mais à un tel éclat rouge et noir se superpose un filigrane plus éblouissant qui relève de l'inespéré. Le visage d'une femme m'a raconté pendant plus de trente-cinq ans les joies spirituelles, charnelles, criminelles qui scandent la totalité de nos attachements; son corps n'a cessé de condenser mes désirs et d'approfondir ce qui en eux s'affinait. Ce récit continue, et si ce livre en témoigne, il n'en aborde qu'un ou deux chapitres : la vie du désir est ce qui fait naître sans arrêt les phrases des romans; et Judith – ou plutôt Fillide Melandroni, cette femme bafouée, dont la beauté, la fierté, la mélancolie princière sont rachetées, et même sauvées, à travers la peinture du Caravage – anime en secret tout ce que j'écris.

# CHAPITRE 42

## *Judith et les autres*

Ce jour-là, à Milan, lorsque, après avoir vu
toute l'exposition, je revins sur mes pas et
trouvai enfin la salle 1 consacrée à Judith, j'écar-
tai le rideau qui bizarrement séparait cette salle
du reste du parcours et me trouvai face à un mur
vide. Il y avait le petit cartel en bas, il indiquait
bien *Judith décapitant Holopherne*, mais il n'y
avait pas de tableau.

Je restai longtemps, comme un insensé, à
contempler un tableau absent. Je l'avais dans les
yeux, et il m'était facile de le projeter ici. Je recom-
posai toutes ses dimensions en fermant les yeux
et fis apparaître le drapé théâtral du rideau cra-
moisi, les trois corps qui s'agitent dans le noir, le
fil de l'épée qui tranche, la bouche affreuse d'Holopherne, le sac que tient la servante et le corps de
Judith, connu par cœur comme celui des femmes
qu'on a aimées, dont la peau *revient*, grain par
grain, comme si je la tenais dans mes bras.

Il me semble aujourd'hui que c'est moins
d'un crime qu'il s'agit que d'une naissance : celle

d'une femme qui traverse le miroir et tue ce qui l'entrave – le monstre immémorial dont le rictus hante nos cauchemars, qui nous dévore ou qu'on domestique. Tuer son monstre est le cœur de l'initiation et la porte d'entrée pour la vie spirituelle.

J'appris qu'on avait déjà renvoyé le tableau à Rome, au Palazzo Barberini : l'exposition aurait dû s'achever il y a quelques jours déjà, les visiteurs bénéficiaient d'une « prolongation », mais ce tableau était scrupuleusement attendu, si bien qu'on l'avait décroché.

Une fois de plus, il m'arrivait quelque chose avec lui ; et cette fois-ci, il agissait même *in absentia*. Comme je l'ai raconté, l'exposition m'avait donné l'occasion de m'approcher plus près encore de la figure de Judith et de connaître son vrai nom. En un sens, il était logique que, l'ayant enfin rencontrée « en vrai », je ne la trouve plus sur le tableau. L'effacement de Judith dans l'exposition « Dentro Caravaggio » signait son entrée désormais effective dans le monde de la réalité, sous le nom de Fillide Melandroni.

Je viens de revoir Judith au musée Jacquemart-André, à Paris, lors de l'exposition « Caravage à Rome, amis et ennemis », où elle surgit, dès la première salle, pour rabrouer les désirs masculins : voilà ce qui va vous arriver si vous continuez à harceler des femmes, semble dire aujourd'hui, en 2019, ce tableau qui cueille littéralement les visiteurs dès l'entrée, en leur exhibant des attraits qui les prennent au piège, comme Holopherne, dont la tête n'en finit plus de faire gicler son triple faisceau de sang à travers le temps.

Ai-je dit qu'à l'origine le Caravage l'avait peinte seins nus ? Alors je le répète : les radiographies, que j'ai pu consulter, montrent en effet que le Caravage a dû recouvrir la poitrine de son héroïne, à la demande de son commanditaire. Mais c'est la magie de cette peinture : même habillée, elle semble quand même nue. En tout cas, moi, je l'ai toujours vue nue.

Bref, vous êtes un homme, vous entrez un jour pluvieux d'automne, à Paris, dans une exposition consacrée au séjour romain du Caravage, vous vous avancez dans la première salle, lisez vaguement les grands placards biographiques et restez bouche bée devant la beauté terrible de Judith en train de vous décapiter.

On a souvent dit que le Caravage était le peintre des corps masculins, mais outre Judith, outre Madeleine et Catherine d'Alexandrie, qui en sont des variations sacrées, les femmes prolifèrent. Quand je regarde maintenant des tableaux du Caravage, c'est elles qui m'intéressent. En un sens, je ne vois plus qu'elles.

Il y a bien sûr la Vierge, sans cesse peinte, sans cesse complétée par l'adoration : la *Madone des palefreniers,* dite aussi « au serpent », et celle dite « des pèlerins » ; celle à la splendeur lointaine, solennelle et très noble, dite « du rosaire », celle de la *Nativité* volée de Palerme, celle, humble et voilée, ceinte d'un manteau bleu, de *L'Annonciation* de Nancy, celle en rouge de *L'Adoration des bergers* de Messine, celle qui est couchée au milieu des apôtres en pleurs et dont les pieds dépassent dans *La Mort de la Vierge,* cet immense tableau noyé de rouge et d'ocre sombre, ouvert à l'abîme qu'il désigne, et ravagé par le chagrin, qui peut vous arracher des larmes au beau milieu des touristes circulant dans la Grande Galerie, au Louvre, et vous saisit pour toujours comme seul le fait l'expression du deuil qui vous coupe en deux.

Il y aura aussi deux Salomé, l'une, vêtue de noir et de blanc, qui se détourne du plateau où le bourreau a disposé la tête du Baptiste, l'autre, en manteau rouge, qui nous regarde directement, mais toutes deux mélancoliques ; il y aura la diseuse de bonne aventure au sourire duplice ; sainte Lucie couchée, morte, sur le sol brun au pied de ses fossoyeurs ; il y aura la servante au visage blanc voilé d'ombre et aux yeux bleus qui dénonce saint Pierre à un soldat ; il y aura, parmi les plus belles, Marie de Cléophas, les bras levés vers le ciel lors de la *Mise au tombeau* ; il y aura sainte Ursule percée par la flèche du tyran et dont le visage et les mains semblent bleus ; il y aura la paysanne au grand sein blanc, qui allaite un prisonnier, dans *Les Sept Œuvres de miséricorde* ; une Madeleine en extase blanche et rouge, au teint de bougie, alanguie dans sa douleur et qui semble avec ses traits austères, ses mains jointes, et le dépouillement de ses lignes, un Georges de La Tour ; Marthe et Madeleine, dont j'ai parlé ; et une autre Madeleine, dont je vais raconter ce qu'elle m'a fait découvrir.

Les « femmes des anciens peintres », comme les appelle Rimbaud, sont deux fois plus belles que toutes les autres femmes, car elles traversent le mur : il leur arrive de poser, d'être vues par le peintre comme une matière colorée à laquelle son regard donne une forme, puis elles reviennent au visible ; sans cesse elles passent d'un monde à l'autre : elles sont de la peinture, et elles sont du réel. Quoi de mieux ?

# CHAPITRE 43

## *Le papillon noir*

Il m'était encore arrivé autre chose à Milan, durant l'exposition « Dentro Caravaggio ». Car c'est là que je vis pour la première fois la *Madeleine pénitente*, dont le bel éclat roux et les modulations vertes et brunes des vêtements m'enchantèrent d'emblée. Elle était toute repliée sur elle-même, lovée dans la chaleur de son chagrin, et tandis que je contemplais cette large chair dorée qui fait un adorable pli sous son menton, s'enroule autour de son cou comme un collier de douceurs, puis s'ouvre sagement vers ses épaules et sa gorge, je sentais se diffuser dans le tableau, mais aussi dans mon cœur, cette intimité féminine qui souffre et, depuis sa souffrance, reçoit une lumière qui la sauve.

Une larme coulait le long de son nez, et cette petite larme, que je ne parvins pas à apercevoir lorsque je retournai quelques mois plus tard admirer ce tableau à la Galleria Doria Pamphili – car la fenêtre derrière moi renvoyait trop de reflet –, me sembla un joyau.

Cette larme, l'inclinaison du corps de la jeune fille enveloppée dans son intériorité, sa tête penchée tristement vers la gauche, la chevelure dénouée et le manteau qui joignent leurs tons bruns d'automne pluvieux pour faire un cercle dans lequel ses mains se rejoignent, toute cette délicatesse au bord du désarroi composait, plus que d'une sainte, le portrait intime d'une femme qui pleure.

Bellori a bien vu que le Caravage n'avait pas peint une Madeleine, mais qu'il avait pris un modèle, en l'occurrence son amie Anna Bianchini, une jeune prostituée qui posa également pour la Vierge dans *Le Repos durant la fuite en Égypte*, et que c'était en quelque sorte le chagrin de cette femme qu'il avait peint : « Caravage peignit ainsi une jeune fille assise sur une chaise, les mains dans son giron, et occupée à sécher ses cheveux ; il la représenta dans une pièce et, ajoutant un petit vase à parfum et quelques bijoux et joyaux dispersés sur le sol, il prétendit qu'il s'agissait d'une Madeleine ! »

Ainsi le recueillement de cette jeune fille lumineuse passa-t-il, grâce aux richesses dont elle se défait, pour l'intériorisation de son péché par une sainte qui reçoit la grâce. Dans sa petite larme, il faut voir l'éclat fugitif, la modestie irisée d'une conversion.

Lorsqu'on isole un détail, il arrive qu'un mouvement de rêverie en multiplie l'importance :

jusqu'alors inaperçu, ou relégué au plan des objets secondaires, voici qu'on le retrouve dans plusieurs tableaux, comme s'il s'était multiplié par la grâce de notre seule curiosité ; il porte un sens nouveau, allume ainsi une cohérence et prend figure d'emblème.

Ainsi de ce ruban noir dont je découvris, lors de l'exposition « Dentro Caravaggio » de Milan, que Judith n'en était pas la seule porteuse : on se souvient que du temps où je l'avais découverte, à 15 ans, au Prytanée militaire de La Flèche, ses boucles d'oreilles en perle, surmontées d'un ruban en forme d'ailes de papillon noir, agrandissaient pour moi son charme ; eh bien, ce petit ruban noir, noué à la même perle, et surmontant l'agrafe de ses boucles d'oreilles, voici que, en plus de Judith changée en Catherine d'Alexandrie, je le retrouvais, trente-cinq ans plus tard, déposé par terre, aux pieds de cette *Madeleine repentante*, figurant l'un des objets terrestres dont la sainte se défait pour entrer dans la vie de l'esprit.

Je restai un long moment à le fixer : tout au bas du tableau, il allumait en moi un plaisir absolument parfait, comme si les nœuds qu'il formait reproduisaient le destin même du désir, replié sur lui-même et voué à s'ouvrir ou à se fermer au fil du temps, comme la vocation, comme la voix, comme la vérité.

Je repris la visite, tout enchanté de ma trouvaille, tout heureux d'entrer ainsi, d'une façon si inattendue, dans certains arcanes de la peinture, où à l'insu des spectateurs, et d'une manière aussi secrète qu'imprévisible, s'engagent peut-être des dialogues entre les tableaux, des échanges murmurants de couleurs, des reprises méditatives, des passations de détails qui, en formant une communauté intérieure des œuvres, racontent une autre histoire que celle que nous avons sous les yeux.

Il y a une amitié entre les œuvres, à laquelle nous n'avons aucune part, une vie qui n'appartient qu'à elles ; et s'il arrive que par notre curiosité, par l'attention obstinée que nous leur prodiguons, nous soyons les témoins furtifs de cette vie secrète, alors quelque chose d'inouï nous est accordé : car il n'est rien de plus beau que d'assister à ces visites que se donnent, les unes aux autres, des œuvres qui sont nées d'un même pinceau.

Je changeai de salle et tombai, en bout d'exposition, sur un tableau que je ne connaissait pas, qui se mit à nourrir opportunément ma passion pour la Judith absente, car une tête coupée lui faisait écho : on y voyait, au bout d'un groupe entièrement peint en noir et blanc, Salomé recevoir la tête de Jean-Baptiste sur un plateau et détourner la tête avec une expression de gêne affligée ; et à ses oreilles, à ma grande surprise, elle portait les mêmes boucles qui ornaient le lobe de Judith, les mêmes dont Madeleine s'était défaite : sur ces boucles, un papillon noir me regardait.

Que faisait donc, en 1608, aux oreilles de Salomé, des boucles qui avaient orné celles de Judith dix ans plus tôt ? Que la perle abandonnée par Madeleine passe à l'oreille de Judith, qui ensuite en fera cadeau à Salomé, cela m'émeut.

Ces boucles – ce papillon noir – ne sont-elles pas une clef ? Cette larme qui coule à l'oreille des femmes, n'est-ce pas la signature du Caravage, lui qui ne signe pas ses tableaux ?

Mais peut-être ces boucles appartenaient-elles tout simplement aux affaires du Caravage qui étaient utilisées régulièrement dans ses tableaux, au même titre que son miroir sphérique, un violon, un vase ou une carafe ?

Dans ce document émouvant qu'est l' « Inventaire des biens du Caravage au Vicolo di San Biagio, Rome, le 26 août 1605 » – ceux qui lui ont été confisqués alors qu'il ne payait plus son loyer et que sa logeuse le dénonça –, figure en effet, parmi la vaisselle et le mobilier, la mention suivante : « Une dague, une paire de boucles d'oreilles, une ceinture usée et un battant de porte ».

Cette paire de boucles d'oreilles, avec un peu de chance, existe encore quelque part, dans un grenier, un coffre, un écrin. Elles sont seules maintenant. La pensée qui m'entraîne vers elles n'a rien de raisonnable. De même que l'âme a une entrée secrète dans la nature divine, il me semble parfois, c'est une présomption sans objet, qu'en regardant des peintures je peux accéder à la merveille. Mais laquelle ? Où sont les petites lumières ? Il y a un point qui glisse entre les formes chaudes ; et s'il arrive, dans la nuit, qu'on se mette, au plus fort d'une ardeur inconnue, à l'embrasser, alors ce point – et nous-mêmes enlacés à lui – se défait de tout *quoi*. Nous nous anéantissons. Et alors tout revient.

Lorsque nous fermons les yeux, une lumière favorable s'allume sous nos paupières ; cette lumière ne vient de nulle part, sinon d'un espace qui lui est intérieur. Car si d'abord persiste à la surface de la rétine une lueur du réel, elle ne tarde pas à se troubler pour laisser place à cette image opaque qui brille depuis son évanouissement. Il m'a toujours semblé que les grands peintres étaient ceux qui, à un moment de leur vie, quand les mots et les choses se sont usés au point de ne plus admettre que leur transparence, atteignent cette lueur vide, ce nid de flammes éteintes, ce petit pan de mur sans couleur. La claire invisibilité qui vient ici prend la place du regard. Ce sont d'autres yeux qui voient : il y a plus que le monde. Ce n'est pas exactement un miroir qui gît alors au fond de l'œil des vieux maîtres, plutôt l'extrême pointe du reflet qui habite ce miroir. Avec le temps, le visible prend cet aspect de jour voilé, qui est aussi celui où la vie se recule. Les formes reconnaissables s'estompent un peu, et si l'ombre les protège encore, bientôt elles seront nues, comme cette « voyageuse de nuit » dont parle Chateaubriand à propos de la vieillesse.

Le Caravage est mort à 39 ans, il n'a jamais été vieux. Mais il est parvenu à voir ce qu'on voit dans le temps intérieur du grand âge : ce petit rectangle luisant, au fond de l'œil, qui dissout les bordures, ce grand mur épais, qu'il a peint dans *Les Funérailles de saint Lucie*, où les couleurs cessent de se différencier, cette pâleur qui récuse toute ressemblance, comme dans *La Résurrection de Lazare*, où l'on ne discerne plus que la fragile texture des choses finies, une peau, un cri étouffé, un battement de cœur, une bouche qui s'ouvre pour boire, sans aucun regard qui puisse s'en emparer.

Un miroir ne réfléchit peut-être rien, mais s'adresse à ce qui est invisible. Celui de Marthe et Madeleine ne renvoie qu'à ce qui échappe au visible, ce point que la peinture indique sans pouvoir le représenter et qui convie nos regards vers un effacement de tout espace, une résorption de toute forme, l'absorption même des possibilités du regard. Ce rectangle luisant, est-ce que c'est l'absence ? Est-ce que c'est Dieu ? La peinture elle-même ? Le lieu où resplendit ce point réservé n'est pas celui auquel peuvent accéder des yeux. La matière dans laquelle seule la peinture est capable d'entrer – et de se voir – se cambre alors dans un miroir convexe, et en se dérobant il arrive qu'elle donne à voir sa propre cachette avec plus rien dedans. À cette folie du réel, que peut-être seule la théologie pourrait situer, le Caravage est arrivé.

Je regarde le tremblement nacré d'une femme, dont la larme si discrète, en écho à la perle jetée à terre, s'écoule sur sa joue. Je pense alors que la nacre réfléchit plus encore que l'amour, et que le reflet qui se loge en toute larme est le premier miroir en lequel, malgré notre aveuglement, nous avons trouvé réfléchie la figure du monde et celle de nos corps stupéfaits. Oui, dans une larme qui coule, comme à la joue de Madeleine, je découvre le monde devenu perle.

À trouver rassemblés tant de tableaux du Caravage, je fus pris d'une joie si grande qu'au sortir de l'exposition, en attendant l'avion qui me ramènerait chez moi à Paris, je déambulai en souriant tout seul par les rues de Milan, béat comme un oiseau, et oubliai dans un café à la fois le cahier que j'avais couvert toute la journée de notes et mes lunettes. Je revins chez moi sans plus rien voir.

# CHAPITRE 44

## *Le jour fatidique*

Nous arrivons le 28 mai 1606. Ce jour-là, la vie du Caravage bascule : un duel tourne mal, le Caravage tue son adversaire, il doit quitter Rome ; il ne reviendra jamais — et passera les quatre dernières années de sa vie en fuite, à Naples, sur l'île de Malte et en Sicile, changeant fréquemment de ville.

Voici ce qu'en dit Bellori : « Or lors d'une rixe avec un jeune homme de ses amis qui jouait avec lui à la paume, après un échange de coups de raquettes, il saisit son arme et tua le jeune homme ; lui-même fut blessé dans l'aventure. Il s'enfuit de Rome sans argent et poursuivi. »

Version de Baglione (dont je rappelle qu'il détestait le Caravage) : « Il se trouva pour finir confronté à Ranuccio Tomassoni, jeune homme bien élevé ; pour quelque différend au sujet d'une partie de paume, ils se défièrent mutuellement en duel. Ranuccio étant tombé à terre, Michelangelo le frappa de la pointe de son épée et, l'ayant blessé à la cuisse, le tua. Tous s'enfuirent de Rome. »

Mancini, le troisième biographe, raconte quant à lui qu' « ayant presque perdu la vie, mais tué son adversaire en état de légitime défense, avec l'aide d'Onorio Longhi – il fut obligé de quitter Rome ».

On possède également trois rapports de police, datant du 31 mai 1606; le premier, émanant sans doute d'un témoin, voire d'un sympathisant du Caravage, nous apprend que « Caravage, le peintre, a quitté Rome gravement blessé, après avoir tué un homme qui l'avait provoqué en duel, dimanche soir », et ajoute, brouillant les pistes avec une pointe d'insolence : « On m'a dit qu'il est parti pour Florence et qu'il ira peut-être aussi à Modène, où il se fera un plaisir de faire autant de peintures qu'on lui demandera »; le deuxième rapport précise que « le peintre a été dangereusement blessé à la tête et les deux autres sont morts », et va jusqu'à établir que la querelle aurait eu pour origine « une altercation au sujet d'une faute, lors d'une partie de paume, aux environs du palais de l'ambassadeur du Grand Duc »; le troisième rapport, enfin, répète la cause de l'homicide (« une dispute à propos d'une partie »), y ajoutant le sous-entendu d'un pari perdu (« dix écus que le mort avait gagnés sur le peintre »).

On le voit, les circonstances de la mort de Ranuccio Tomassoni sont embrouillées, laissant place aux faux témoignages, ainsi qu'aux interprétations les plus fantaisistes : on a longtemps chargé le Caravage, alors qu'il semble établi qu'il n'y eut aucune préméditation et qu'en l'occurrence la légitime défense est plus que probable ; mais, en imputant au Caravage la responsabilité totale de ce crime – pour lequel il a effectivement été banni et condamné à mort par contumace –, il semblerait, selon Catherine Puglisi, qu'on ne fit que protéger le nom de la victime : Ranuccio Tomassoni appartenait en effet à une honorable famille de notables romains qui s'étaient illustrés dans les armées pontificales ; ainsi s'agissait-il, à travers un tel verdict qui blanchit Tomassoni, de couvrir une position sociale autant que de flatter une influence politique : si Ranuccio Tomassoni avait appartenu au peuple, sa mort n'eût pas posé problème (il semblerait aussi, pour être complet, que l'inimitié entre Tomassoni et le Caravage relevât de l'hostilité entre factions pro-françaises et pro-espagnoles).

Mais différents documents découverts ces dernières années dans les archives romaines fournissent des informations sur la personnalité *réelle* de Tomassoni, en qui on s'est contenté un peu vite de voir « un jeune homme bien élevé », comme l'affirme Baglione. En effet, son frère était *caporione*, c'est-à-dire chef de la milice locale du secteur de Campo Marzio ; et Ranuccio Tomassoni lui-même devint assez vite capitaine de cette garde qui, au service des édiles, pratiquait le clientélisme, l'escroquerie et l'intimidation.

Autrement dit, Ranuccio Tomassoni et son frère profitaient de l'image de respectabilité de leur famille pour couvrir un commerce mafieux. Et dans ce quartier de Rome, une telle mafia régentait avant tout ce que Catherine Puglisi appelle joliment « les intérêts professionnels et financiers de courtisanes de haute volée ». Pour le dire clairement, ce Ranuccio était un proxénète.

Et parmi les femmes dont il s' « occupait », il y avait Fillide Melandroni – la belle Judith –, encore et toujours elle, dont il semble qu'elle fut l'enjeu d'une rivalité sinon amoureuse, du moins symbolique.

Je pense qu'invoquer la tricherie au jeu de paume n'était qu'un prétexte de la part de Tomassoni pour régler ses comptes avec le Caravage ; et l'éventuelle dette d'argent signalée par les rapports de police dissimulait elle-même un contentieux plus crucial à propos de Judith.

Je ne sais si le Caravage voulut arracher Judith aux griffes de son maquereau ; mais, en un sens, une telle chose avait *déjà* eu lieu : en la peignant à plusieurs reprises, ne l'avait-il pas *anoblie* par la peinture ? Ne se faisait-elle pas du coup une idée d'elle-même qui débordait tous les trottoirs, toutes les alcôves ? Autrement dit – chose inacceptable pour un souteneur –, *ne valait-elle pas plus que son corps* ? N'avait-elle pas fait exploser dangereusement le marché en devenant peinture ? Visage de l'art et non plus seulement marchandise, femme convoitée par les princes, sans doute ne se pliait-elle plus aussi docilement à l'autorité de Tomassoni.

Tout cela, par la faute du Caravage.

Ainsi le combat entre Tomassoni et le Caravage n'a-t-il pas relevé d'un simple incident qui aurait dégénéré. Les deux hommes se détestaient ; l'un et l'autre étaient également réputés pour leur caractère véhément et leur promptitude à dégainer l'épée – leur affrontement à mort était inéluctable.

On sait aujourd'hui qu'il s'agit d'un duel organisé : l'ambassadeur de Modène indique que c'est Tomassoni qui défia le Caravage, lequel se défendit. Les duellistes prirent place, avec leur épée, sur le terrain de paume ; ils étaient chacun accompagnés de trois témoins. Catherine Puglisi, résumant le contenu des archives découvertes récemment, raconte : « Lorsque Ranuccio tomba, mortellement blessé, son frère et ses deux beaux-frères attaquèrent Caravage, qui fut alors épaulé par Onorio Longhi et deux soldats bolognais. À la fin de la rencontre, Ranuccio était mort, et tous prirent la fuite, à l'exception de l'un des témoins de Caravage, qui fut conduit en prison en piteux état ; le peintre lui-même fut gravement blessé à la tête. »

On n'inculpa le Caravage qu'un mois après, ce qui permit aux deux partis de se mettre à l'abri et à la famille Colonna d'exfiltrer son protégé.

Le Caravage se cacha ainsi dans les environs de Rome durant tout l'été, soignant sa blessure et changeant régulièrement de planque : Palestrina, Zagarolo, Paliano. Il réapparut en octobre à Naples, où les Sforza Colonna, qui y étaient influents, organisèrent son séjour.

# CHAPITRE 45

## *Après le crime*

Naples est à l'époque la plus grande ville d'Europe, trois fois plus peuplée que Rome, et sous juridiction espagnole : le Caravage y échappe ainsi au décret d'arrestation et de peine de mort prononcé contre lui dans les États pontificaux. Et puis, en tant que lombard, on le considère comme un sujet hispanique.

Sa renommée lui fait trouver immédiatement de nouveaux clients, aussi bien à la Cour que dans les milieux commerciaux et financiers de la ville, qui lui commandent des tableaux à prix d'or ; ainsi peint-il, en un temps record – à peine trois mois –, un retable monumental pour le Pio Monte della Misericordia, une institution charitable extrêmement importante à Naples : *Les Sept Œuvres de miséricorde,* qu'on peut admirer aujourd'hui en plein cœur du centre populaire de Naples, au milieu d'un enchevêtrement de ruelles, exactement comme dans le tableau, qui représente un coin de rue, à Naples, la nuit.

*Les Sept Œuvres de miséricorde* forment un condensé ahurissant de gestes-paraboles qui sont rassemblés dans l'étroitesse surpeuplée d'une ruelle, où le Caravage, au sommet de sa virtuosité, réalise la prouesse de formuler en termes plastiques et humains les préceptes de la charité, tels qu'ils sont rapportés dans l'Évangile de saint Matthieu : nourrir ceux qui ont faim, donner à boire à ceux qui ont soif, vêtir ceux qui sont nus, accueillir les pèlerins, assister les malades, visiter les prisonniers, ensevelir les morts.

Ainsi voit-on s'exhausser à travers une population de gestes l'étincelle d'une rédemption possible de la condition humaine par l'accomplissement de la charité : ouvrir sa porte, allaiter, donner son manteau, porter un corps sont ici noués à travers une communauté limpide, celle des humains qui prennent soin les uns des autres. Pas besoin de transcendance : il n'y a ici que le peuple qui s'entraide. On aperçoit bien la Vierge et l'Enfant installés dans le ciel noir du tableau, et la main d'un ange qui descend vers la scène, mais aucun d'entre eux ne bénit qui que ce soit : sans doute la présence divine suffit-elle à inspirer aux humains la douceur des actions favorables, mais ce sont bel et bien ceux-ci qui forment le plan concret de la miséricorde. L'amour s'incarne à travers une éthique, et l'on peut imaginer combien, pour un homme coupable de meurtre et condamné à mort, *trouver des gestes pour se sauver* puisse revêtir une importance cruciale : le Caravage, avec ce tableau, s'identifie à la chaleur d'une humilité universelle, à l'idée évangélique qu'il y a des bons gestes, et que peut-être la justice est préférable au salut, car le monde est misérable, comme nous.

Veut-il expier son crime ? Un homme comme lui sait très bien que le pardon ne s'accorde pas comme un miracle ; et que le crime est peut-être impardonnable. Je vois mal le Caravage chercher de la consolation ; se satisfaire d'une rémission offerte au secret d'un confessionnal de Naples par quelque prêtre terrifié ; ou s'acquitter puérilement de sa faute en négociant, fût-ce au plus obscur de son être, avec la part suppliante de lui-même, celle qui se tourne avec l'empressement du débiteur vers un blanc-seing qui le délivrerait de toute culpabilité : on ne rachète pas son crime en une seule pensée, ni même en offrant un tableau à la Vierge.

Le Caravage n'a sans doute jamais été délivré ; et peut-être est-ce précisément son endurance terrible à la faute qui a rendu possible une telle œuvre, soixante tableaux où rien ne se repose, où la solitude, en un sens, est complète, parce qu'il est impossible qu'elle s'apaise.

On croit échapper au mal, mais il en sait toujours plus sur nous que nous-mêmes ; son œil ne nous lâche jamais. Le mal, en un sens, précède le bien. Le Caravage le sait.

Entrer dans les arguties de la culpabilité ne nous mènerait pas loin, mais il est possible que chez lui le crime ait un sens : pas sûr, comme l'écrit Olivier Wickers dans *Perdre le jour*, qu'en tuant son adversaire le Caravage ait commis une « étrange maladresse », et qu'enfoncer son épée dans le corps de Tomassoni ait relevé, comme il le dit plaisamment, de l' « ajout inutile » : en tuant, le Caravage rejoint son destin et coïncide, d'une manière troublante, avec ce qu'il vivait depuis des années à travers sa peinture. On pourrait aller jusqu'à penser que, d'une certaine manière, son art tendait vers ce franchissement-là, lequel fait basculer non seulement sa vie dans la région inquiète de ce qui évolue hors la loi, mais l'expose soudain à sa vérité : le Caravage est ce peintre qui est entré dans ce pays noir où les ténèbres ne cessent de batailler avec la lumière, où ni les unes ni l'autre ne l'emportent, où l'entre-deux de la tragédie témoigne pour l'absence de victoire. Même déchirée de ténèbres, il y a quand même de la lumière. Le Caravage habite cet éclat sombre.

Voici qu'on lui commande, dans la foulée, une *Madone du Rosaire*, étonnamment figée, presque conventionnelle, avec une Vierge et un Enfant inexpressifs, et dont la palette inhabituelle de bleu, de vert et de jaune comprime l'émotion : les radiographies révèlent, paraît-il, pour ce tableau comme pour *Les Sept Œuvres de miséricorde*, des repentirs d'une ampleur inhabituelle, comme si la convention, pour une fois, étouffait le Caravage, et comme si les égarements de sa vie troublaient enfin la maîtrise du peintre, ce qui semble pour le moins compréhensible.

Et puis le Caravage enchaîne avec deux *Flagellation du Christ,* que je vais regarder avec précision, tant se joue dans la vie du peintre – et d'une manière de plus en plus brûlante à mesure que sa fuite s'accélère – une partie décisive avec la figure de Jésus.

La miséricorde, la Vierge, le Christ : après son crime, le Caravage enchaîne donc directement avec l'histoire du salut – c'est-à-dire avec *ce qui est peint au fond du cœur des hommes.* Où va le Caravage ? Seules ces peintures nous le disent : la rage a disparu, le désespoir aussi. On entre dans un pays où la vérité seule importe, et s'il arrive qu'on n'y voie rien, l'œil s'ouvre pourtant de plus en plus et s'élargit aux mesures de la peinture elle-même, au point que son acuité dans la nuit nous enflamme.

Comment, à ce point de l'aventure qui est la nôtre avec le Caravage, ne pas laisser nos pensées chercher librement de tous côtés ? Le crime ouvre autant qu'il ferme. On ne sait plus à quel saint se vouer. Et justement, la carrière du mal pourrait s'ouvrir alors comme une sainteté inversée : quelqu'un comme Jean Genet a établi sa légende à ce point où, écrit-il, « la sainteté c'est de faire servir la douleur. C'est forcer le diable à être Dieu ».

Mais ce n'est pas le cas du Caravage : l'idée la plus audacieuse qu'on puisse se faire de soi-même n'est jamais qu'une image ; et même si celle-ci est vécue avec l'intensité de la disgrâce la plus extrême, elle ne dit pas *le tout* de la solitude et des aspirations contradictoires qui la malmènent. Ainsi le Caravage se foutait-il de sa légende, qu'elle fût douloureuse, blasphématoire, ivre ou simplement révoltée : il y a plus cuisant que le regard des hommes. Et de même que leur souffle nous sépare du paradis (et troublera jusqu'à la fin des temps la moindre méthode pour en trouver l'accès), il nous enferme dans une geôle morale qui n'est pas à la mesure du déchaînement de l'univers en nous : c'est là que le Caravage est nu face à Dieu.

Je ne dis pas qu'il a peur – même si la peur est inévitable –, ni qu'il cherche à obtenir son petit pardon ; mais que par-delà bien et mal on se retrouve, comme il l'a toujours peint, dans le noir ; et que ce noir étant le fond du visible, comme la porte de pénombre qui gît – ouverte ou fermée, on ne sait pas – au fond du sépulcre où le Christ va ressusciter Lazare, il est aussi le lieu où notre esprit se cherche.

Je ne crois pas qu'il soit de ceux qui demandent à la peinture un abri, moins encore une manière de se mettre en bons termes avec Dieu, ou je ne

sais quelle instance morale ; le Caravage est seul
avec son crime comme il l'est avec la peinture. Il
ne va pas se mettre à peindre des images de dévotion pour racheter sa faute : il sait que la mort
ne se rachète pas. La « donner » à quelqu'un
implique de se donner à son tour – mais à qui ?
à quoi ? L'équilibrage des peines s'appelle la
justice ; mais celle des hommes veut la tête du
Caravage : il est condamné à être décapité.

# CHAPITRE 46

## *Les bourreaux*

C'est donc à ce moment-là de sa vie, à Naples, en 1607 – le Caravage a 36 ans, il lui reste trois ans à vivre –, qu'il peint deux *Flagellation du Christ*, l'une visible aujourd'hui au Museo Nazionale di Capodimonte, à Naples, l'autre au musée des Beaux-Arts de Rouen.

Dans la *Flagellation* de Naples, la tête du Christ, inclinée vers la gauche, reprend la pose d'humilité que le Caravage avait donnée à la Vierge dans la *Madone des pèlerins*. Le ballet cruel des trois bourreaux qui s'agitent autour du corps de Jésus et qui dans l'ombre grimaçante affinent leur torture, préparant les verges, attachant les mains du Christ à la colonne, le saisissant par les cheveux et lui décochant un coup de pied sournois au mollet – toute cette débauche de sadisme ne parvient pas à réduire l'éclat de la lumière qui fait irradier le torse du Christ. Le mal a beau se contorsionner autour de la vérité qui lui échappe, il ne parvient pas à rompre la vie qui l'anime : le supplice éclaire Jésus, dont le corps attaché au poteau sacrificiel semble brûler d'une flamme intérieure.

Regardez ce territoire ardent qu'est le torse du Christ, cette matière opale, longue et dorée comme un pain où à travers la sculpture d'une chair destinée à la Passion se donne la transparence d'un monde inconnu qui la traverse : le Royaume vous apparaît ainsi, comme un corps lumineux. Il y a une très belle phrase de Bossuet, dans le *Panégyrique de saint Jean*, qui dit : « Prenez la croix et vous aurez le royaume : il est caché sous cette amertume. »

Lors de l'exposition de Milan – « Dentro Caravaggio » –, ce torse (ce royaume) irradiait. On s'avançait vers lui timidement ; et personne, pas même les groupes d'étudiants qui se mirent à déferler vers le milieu de l'après-midi, n'osait lui faire face ; je me souviens être resté longtemps adossé contre le mur, à l'entrée de la salle, afin de trouver le bon angle, la bonne distance pour être capable, en m'approchant, de voir enfin ce tableau.

D'ailleurs, s'agissait-il seulement de le « voir », ou de soutenir ce qui s'énonce à la place de sa lumière ? Que le Caravage ait pu manifester une telle compréhension de la souffrance, et nous la transmettre avec tant de miséricorde, cela nous frappe le cœur : on sait qu'il a tué un homme et qu'il peint ce tableau *à la suite du crime* ; la faute ensevelit son esprit ; elle sature chacune de ses pensées ; et voici qu'il jette sur une toile une vision éperdue du sacrifice où l'humilité divine s'oppose à la malfaisance des hommes.

Ils ne savent pas ce qu'ils font : voilà peut-être ce à quoi pense le Christ, dont le visage dans l'ombre est noyé d'amour triste. Et le Caravage, où est-il : du côté du Christ ou du côté des bourreaux ? On sent bien que la question brûle ce tableau : qu'est-ce qu'un assassin ? La réponse est criante : quelqu'un qui *fait le mal*. Mais quel rapport entre les bourreaux qui s'acharnent sur le Christ et le Caravage qui a tué un homme dans un duel ? Le Caravage a-t-il vraiment fait le mal ? Est-il possible de n'être attaqué par lui qu'à moitié, de garder une part de soi intacte, et d'être un jour entièrement *vidé du mal* ? Ici, toutes les questions affluent, comme la tragédie elle-même, qui ne parvient jamais à se connaître ; et tous les partages se brouillent : le Caravage n'est pas une victime, mais est-il pour autant un bourreau ?

Il y a, il y aura toujours, et de plus en plus, de bourreaux dans la peinture du Caravage. Il les redoute comme l'approche même de la mort : ainsi la faute parle-t-elle en lui, en lui faisant former ces figures peintes dont l'infamie remue la matière, tourmente les esprits et tranche dans la lumière. Les bourreaux sont là, il y en a de plus en plus, au moins un par tableau. Et ce n'est pas pour rien que le Caravage s'identifiera à la fin à la tête tranchée de Goliath : la décapitation exige que *quelqu'un* nous tranche la tête. Ce quelqu'un n'est pas nécessairement David, il prend toutes sortes d'identités moins nobles, jusqu'à ne plus en avoir du tout : le bourreau n'est personne. Mais cet homme quelconque, que le Caravage peint aussi grimaçant et vieilli que lui, est aux aguets, dans l'ombre, et vous surveille à chaque instant. Si la police a perdu votre trace, le bourreau, lui, sait où vous êtes : il ne quitte jamais votre tête — son savoir obscur lui indique que la vérité est ce qui sépare la tête et le corps.

Dans les tableaux du Caravage, le bourreau harcèle Jésus sans relâche jusqu'au supplice, et sa trogne indifférente surgit au second plan avec la rondeur d'un moignon (à partir de Naples, le modèle qui pose pour le bourreau a une méchante tête ronde) ; ou alors il s'octroie le premier plan en offrant la tête du Baptiste à Salomé ; ou bien il transperce la poitrine de sainte Ursule ; ou bien il découpe au couteau la gorge du Baptiste dans la cour d'une prison et regarde le sang couler dans lequel viendra s'écrire un nom.

Les basses œuvres ne sont pas déléguées à la vie secondaire : dans la peinture du Caravage, elles sont mêlées à la grande beauté. Le bourreau est là, tout le temps : il fait partie de la scène fondamentale, qu'il parasite comme une Érinye masculine — cette scène qui fait s'agiter en une ronde dramatique les désirs humains, leurs pulsions, leurs arrangements. Il fait partie du récit intérieur autour duquel chaque tableau semble se peindre, comme les variations d'un témoignage sur la comédie de l'espèce, et la mise à mort qui, continuellement, la hante.

La violence nous fascine parce qu'elle dévoile à quel point le monde est *mal fait* – ou plutôt à quel point c'est le mal qui le fait. La violence exhibe crûment ce que la société refoule, ce qui fait que le monde ne tient pas de lui-même, mais qu'il s'accomplit à travers des fissures, des trous, à travers le manque, et selon les soubresauts du mal.

La faille, chez le Caravage, est noire ; un rideau rouge a beau parfois être tiré devant, il ne masque rien : le mal n'a pas seulement lieu derrière le rideau, mais devant, sous nos yeux. En vérité, le mal a lieu partout, parce qu'il n'y a pas de lieu pour le mal et qu'il ne peut pas y en avoir. Les lieux pour faire le mal n'existent pas ; le mal est ce qui déborde à chaque instant tous les lieux du monde. La société peut s'ingénier à censurer l'obscène, le répugnant ou l'intolérable ; il contourne l'obstacle et resurgit : la vocation des ténèbres consiste à se disperser, c'est-à-dire à diluer la lumière.

Je reviens à la *Flagellation* de Naples. Sommes-nous prêts pour la vérité ? Il n'est pas évident de *tenir* devant ce tableau : on croit qu'on est en vie ; rien n'est moins sûr. L'éclat vivant nous défie ; et comme Dieu demandant à Adam « Où es-tu ? », il nous somme de répondre à la question : « Es-tu vivant ? » Lorsque nous regardons un tableau comme celui-ci, quelque chose se jette sur nous en un assaut immobile et désigne dans notre vie un point qui s'affole. Est-ce le royaume ? Est-ce l'indemne ? Regarder vraiment ce tableau est une expérience où l'on découvre de l'impossible : il m'a semblé, ce jour-là, que son feu était aussi limpide qu'insoutenable. Au fond, je n'avais jamais vu le Christ avant de me trouver face à cette *Flagellation* et, pendant quelques secondes, le temps d'un éclair, d'être *saisi*.

Entre violence et lumière une parole se donne. La promesse en a été faite. C'est une folie que d'entendre cette chose venir depuis le noir qui racle le fond du tableau, là-bas, derrière les corps. On raconte que la joie fut donnée à Ève, et la tristesse à Adam. Les corps masculins, et parmi eux celui du Christ, sont ainsi *donnés à la lumière*, où ils se battent, parlent et meurent.

Lorsque, dans l'autre *Flagellation* – celle de Rouen –, le Christ détourne son regard, et que toute la peinture, non seulement le corps du Jésus, mais aussi la colonne et les deux bourreaux, se trouve emporté vers la gauche, vers un en-dehors du visible que fonde à lui seul par sa lumière le visage du Christ, la direction invisible désigne un horizon qui nous requiert tous, et ce n'est pas un hasard si les deux bourreaux derrière le Christ relèvent la tête et semblent aussi proches de lui ; sans doute ne s'agit-il pas d'un moment de suspension (le mal ne s'arrête jamais) – mais plutôt d'une manière de nous faire entendre à quel point les pécheurs et les saufs existent ensemble, sur un même plan où l'humanité fait l'épreuve de sa folie. Ils ont beau être en train de lui lier les mains, ils ont beau s'apprêter à le fouetter, ils sont avec lui, plus proches encore du Christ que ceux qui se contentent de penser à lui le dimanche matin, pendant la messe. Ces travailleurs du mal font partie de la Passion : ils s'occupent du Christ et sont prévus dans le plan du sacrifice. Leurs rides, leurs yeux fatigués, la tension qui les noue au monde de l'application des peines et de l'exécution ne les épargne pas. Mais voilà ce qu'essaie de nous faire entendre la parole christique : *personne n'est épargné*. Les bourreaux souffrent, car ils sont prisonniers d'une malfaisance qui les emploie ; et le Christ souffre parce que personne ne veut entendre sa parole et que l'humanité *préfère le mal*. La colonne s'élève comme une longue colombe verticale – comme si le corps du Christ se continuait derrière lui, comme s'il lui poussait déjà, depuis sa peau, une croix, un arbre de Vie, une échelle pour rejoindre le Père ; et puis, au bas de son linge blanc qui lui ceint les hanches, il y a ce bout d'étoffe rouge qui fait ma joie : ce morceau écarlate, aussi vif qu'une bouche qui vous aime, et incongru comme un paradis qui s'ouvrirait en plein enfer, éclipse tout par sa présence ; sa vivacité nous indique que, si le temple a été détruit, il y a pourtant plus que le temple : le trésor est rouge.

Ce bout d'étoffe qui tient tout seul au bas du Christ et se déplie vers l'invisible, après le tableau, là où convergent les regards, c'est le royaume.

Il arrive qu'on chérisse des détails et qu'ils prennent une importance qui efface les grands sujets : cette draperie rouge a grandi dans ma vie. Je l'ai aimée tout de suite, mais c'est lentement qu'elle est devenue ce qu'elle est à mes yeux : une approche de la manne. Quand je pense à l'indemne, quand il m'arrive d'y mêler mon corps – quand ma vie échappe à l'enfer auquel nos vies sont assignées –, une expérience s'ouvre qui m'accorde à ce qui est *non damné*. Une telle faveur, c'est le morceau de draperie rouge.

# CHAPITRE 47

## *Malte*

À Naples, il est donc protégé, et si la vie artistique est moins intéressante qu'à Rome, il a quand même quelques amis peintres, comme Louis Finson ou Abraham Vinck, lesquels, sous son influence, vont devenir parmi les premiers « caravagesques ».

On ne sait comment il vit : il ne fait que peindre ; sans doute craint-il d'être rattrapé par la justice – en tout cas, on ne lui connaît aucun débordement.

Les Sforza Colonna, aidés à Rome par le cardinal Scipion Borghèse, travaillent à la réhabilitation du Caravage ; mais, en dépit des continuelles tractations visant à obtenir la clémence du pape, la sentence de mort reste en vigueur. Au bout de neuf mois qui ont vu le Caravage s'étourdir de peinture incessante, voici qu'il s'embarque pour l'île de Malte, où il espère devenir chevalier de l'Ordre : une telle consécration lui permettrait, tout en échappant aux juridictions, de faciliter le pardon papal, et donc de rentrer à Rome.

C'est encore grâce à la marquise Sforza Colonna qu'il effectue ce voyage : son fils Fabrizio Sforza, chevalier de l'Ordre de Malte, est amiral des galères de l'Ordre ; il ramène justement de Marseille une galère neuve et prend le Caravage à son bord. À La Valette, où il arrive le 12 juillet 1607, le Caravage est accueilli triomphalement par Alof de Wignacourt, le grand maître de l'Ordre, qui se flatte d'avoir enfin auprès de lui un peintre de renom et rêve de patronner l'art, comme Charles Quint le fit avec le Titien, un demi-siècle plus tôt. Le Caravage peindra bientôt son portrait.

Alors qu'à Naples il passait ses journées dans son atelier, et ne cessa quasiment jamais de peindre, travaillant même à plusieurs tableaux en même temps et pulvérisant ses records de vitesse, il peignit relativement peu durant son séjour à Malte, qui dura jusqu'en octobre 1608, c'est-à-dire presque quinze mois (il faut juste y retrancher quelques mois, où il retourna à Naples achever la *Madone du rosaire*).

Bref, le Caravage ne peint à Malte que quatre tableaux (que l'on sache) : le premier, on l'a dit, est le *Portrait d'Alof de Wignacourt* – « debout et en armure », comme dit Bellori –, le seul portrait en pied connu du Caravage, une œuvre aux coloris rouge et brun qui en plus de sa maîtrise possède une signification stratégique : on y voit le maître de l'Ordre, en armure damasquinée, tenir son bâton de commandement avec une autorité superbe. Le teint cuivré, le port de tête altier lui confèrent une dignité toute militaire ; et le métal étincelant de l'armure, où brille le souvenir glorieux de la bataille de Lépante en 1571, auquel Wignacourt a participé, appelle la comparaison avec les plus grands portraits de Vélasquez.

Il s'agit, bien sûr, pour le vassal Caravage de reconnaître symboliquement son suzerain ; et si la grande ombre que projette l'imposante stature du maître sur le mur du fond participe de son incontestable panégyrique, on peut considérer comme une entorse ironique au protocole la présence, aux côtés du souverain, d'un page blond qui porte à la fois le casque de son maître, dont les plumes rouges et blanches lui caressent la joue, et son manteau rouge, où la croix blanche de l'Ordre attend d'être dépliée.

Il y a aussi un *Saint Jérôme*, qui en un sens permit au Caravage de faire la démonstration de son art en attendant de décrocher le titre de chevalier, et dont on dit que Wignacourt en est le modèle secret. Le rouge qu'on a vu poindre miraculeusement sous la tunique du Christ lors de sa *Flagellation* y enveloppe maintenant le corps du saint : l'éclat de ce rouge approfondit la pénitence, lui confère la noblesse d'une solitude qui écrit : le saint tient la plume et, penché sur un cahier, il rédige la Vulgate. Le visage de Jérôme, marqué par le désert, rubicond et crevassé, semble pourtant fabriquer sa lumière : l'écriture, c'est du rouge qui s'allume à la place d'une chandelle éteinte. Un rectangle brun, avec une tête de mort et un crucifix dedans : un tableau est un bout de visible aux dimensions exactes de la cellule d'un saint. La solitude est un rectangle peint.

Il y a encore *L'Amour endormi*, peint à la demande du chevalier Francesco dell'Antella, exposé aujourd'hui au Palazzo Pitti, à Florence, et que Roberto Longhi trouvait laid. Étrange retour d'un sujet mythologique pour un peintre si concentré sur les Écritures et sur la dramatisation intime, dans sa vie et sur la toile, d'une spiritualité de plus en plus urgente : il semble que ce tableau se mesure à une sculpture de Michel-Ange aujourd'hui perdue.

Niché dans l'écrin sombre d'un clair-obscur qui semble l'abriter, un petit garçon nu – un ange – au ventre rebondi, à la bouche entr'ouverte et au corps doré, somnole au creux de ses ailes noires ; sous sa tête, son carquois garni de flèches lui fait un oreiller ; il tient dans sa main gauche l'arc détendu ainsi qu'une flèche.

Je parlerai plus tard de *La Décollation de saint Jean-Baptiste,* qui est dans l'oratoire Saint-Jean de la cocathédrale Saint-Jean à La Valette : ce tableau, où l'on voit le corps du Baptiste égorgé dans la cour d'une prison, me hante au point que j'écris ce livre pour arriver jusqu'à lui. Le visage de Judith est le point de départ ; et le sang de Jean-Baptiste est l'arrivée. L'esprit qui relie ces deux points est à chercher dans chacune des phrases qui composent ce livre. Il y a toujours une aventure cachée à l'intérieur d'un récit, et souvent aventure et vérité sont indiscernables : ce qui s'écrit ici, depuis le déploiement secret d'une érotique placée sous le signe de Judith, jusqu'à mon avancée nocturne vers la solitude du Caravage, raconte un voyage intérieur.

La raison pour laquelle le Caravage a peint si peu à Malte (par rapport à sa vitesse habituelle) tient aux démarches qu'il avait engagées pour devenir chevalier de l'Ordre : entrer dans la chevalerie impliquait en effet une véritable initiation et supposait de se plier aux astreintes du novice. Ainsi le Caravage dut-il servir à l'hôpital, suivre des cours sur l'histoire de l'Ordre, assister régulièrement aux offices. On peut trouver savoureux qu'un homme aussi déchaîné que le Caravage se pliât aux exigences si pieuses de la chevalerie ; il est vrai que la régularité n'est pas son fort – et que *servir* semble aux antipodes de son caractère. Pourtant, l'humilité n'est pas étrangère à son esprit ; elle est même la seule chose qu'il aura jamais respectée : ce qui touche le Caravage dans la religion, ce n'est pas la hauteur éventuelle de l'esprit, encore moins la puissance d'une autorité que son naturel frondeur ne peut que rejeter ; au contraire, c'est l'esprit de pauvreté des Béatitudes qui lui parle, et s'il aime quelque chose en dehors de la peinture, alors c'est cette parole-là, celle du sermon que le Christ prononce sur la montagne, qui inspire la possibilité de faire coïncider sur terre justice et salut. Le Caravage, comme tous les êtres à vif, est capable d'une émotion violente qui le porte à un amour des plus incandescents : cet homme ombrageux était un passionné.

Ainsi la règle imposée par l'Ordre pour entrer dans la chevalerie ne lui déplaisait-elle sans doute pas : l'exercice spirituel était un bon moyen de brider son emportement et il s'y conformait avec la rigueur et le fanatisme propres aux absolus. J'aime beaucoup, dans le *Saint Jérôme*, que la chandelle soit éteinte : la méditation du saint est imperturbable, il continue d'écrire, la lumière existe toute seule. Les mystiques ont un tempérament de flamme qui n'est pas si éloigné de l'ardeur du Caravage.

Le Caravage patiente ainsi une année avant d'être admis au sein de l'Ordre comme « chevalier d'obédience », ou « chevalier de grâce ». Il fut reçu sur la foi de ses mérites artistiques, ce qui confirme à quel point, dans le monde catholique, la peinture est considérée à l'époque comme un art spirituel. Les statuts de l'Ordre interdisaient l'admission d'une personne convaincue de crime, même s'il n'était pas rare, à la suite d'un arrangement, qu'on introduisît des personnes qui cherchaient à échapper aux sanctions de la justice de leur pays (ainsi de Fabrizio Sforza, celui qui escorta le Caravage à Malte).

Alof de Wignacourt usa de son droit auprès du pape en sollicitant une dispense pour un candidat « vertueux » et « digne », qui pour son malheur avait tué un homme au cours d'une rixe. Le nom du Caravage ne fut pas prononcé.

Par une bulle du 14 juillet 1608, voici le Caravage nommé chevalier de l'Ordre de Malte. Il fait vœu d'obéissance, de pauvreté, de chasteté. On le revêt de la cape noire rehaussée de croix blanches à huit pointes, et il porte autour du cou une croix en émail de l'Ordre. Pour prix de sa *Décollation de saint Jean-Baptiste*, qu'il peint à titre gracieux pour l'oratoire de la cocathédrale de La Valette comme un gage d'intronisation, et qui sera reçue par l'Ordre le 29 août 1608 au cours d'une cérémonie qui coïncide avec la célébration annuelle de la décapitation de celui qui est le saint patron des chevaliers de Malte, le Caravage reçoit personnellement, de la part d'Alof de Wignacourt, deux esclaves et un collier d'or dont la valeur inestimable fait de lui une *personne sacrée*. Mais il ne sera pas présent à la cérémonie du 29 août : une fois de plus, ses démons l'ont rattrapé.

# CHAPITRE 48

## *L'évasion*

Le Caravage vient de peindre son tableau le plus grandiose – une œuvre sacramentelle dont la puissance expressive éclabousse de son *sang signé* toute l'histoire de l'art, qu'il semble rejouer tout entière en une sorte de baptême tragique qui s'adresse d'une manière aussi terrible que bouleversante à notre piété – à notre capacité de voir, de sentir, de comprendre et d'aimer.

Il vient donc d'accomplir un chef-d'œuvre incontestable ; il est intégré dans l'ordre de chevalerie le plus puissant au monde : l'Ordre des hospitaliers de Saint-Jean de Jérusalem ; son pardon est en bonne voie auprès de Rome. Et voici que, à peine deux mois plus tard, il dérape. Vers la mi-août 1608, le Caravage est jeté dans le cachot de la forteresse de Fort Sant'Angelo.

On ignore pour quel crime il est emprisonné, mais il est troublant de constater qu'il a situé *La Décollation de saint Jean-Baptiste* dans la cour d'une prison dont l'édifice austère fait penser au palais du grand maître à La Valette, comme s'il avait signifié par là, sans que personne n'y prenne garde, qu'en vérité, lui, le Caravage, représenté sous les traits sacrificiels de Jean-Baptiste, était prisonnier de l'Ordre et que sur un plan mystique – auquel personne, pas plus le grand maître de Malte que ses détracteurs romains, n'a accès – sa vie était entre les mains d'un bourreau à la face inconnue qui, pour prix de son péché mortel, ne cessait de lui trancher la gorge.

Qu'a-t-il fait ? On a toujours raconté n'importe quoi à propos des excès du Caravage ; on s'en gargarise ; et il semble même que le moindre de ses forfaits excite ses admirateurs, lesquels préfèrent se réciter la légende de l'inadapté tonitruant plutôt que de regarder vraiment sa peinture. Il est vrai que le destin de cet homme qui ne tient pas en place et ne cesse, en défiant la loi, de s'exposer à la mort, possède quelque chose d'héroïque qui nous en impose et libère l'imagination : à lui seul, comme Don Juan, il renverse les obstacles, transgresse des limites esthétiques et morales, et déborde par sa soif de liberté les manières de vivre auxquelles chacun s'assigne par pusillanimité ou petitesse de vue. Le Caravage, en plus d'être un des plus grands artistes de tous les temps, est un aventurier, c'est-à-dire, selon la définition de Guy Debord, non quelqu'un à qui il arrive des aventures, mais quelqu'un qui fait arriver l'aventure.

Alors, peu importe qu'il ait, comme le prétendent Baglione et Bellori, insulté un chevalier, ou circonvenu un adolescent comme la rumeur a cru bon de le propager. Il semblerait qu'il fût impliqué dans une rixe avec sept autres chevaliers. On a tort de s'imaginer la ville de Malte austère et fermée sur sa spiritualité ; c'est un port, c'est-à-dire une plaque tournante, chaotique, cosmopolite, ouverte à toutes les turbulences, toutes les tentations ; la violence y est permanente et les possibilités infinies ; les chevaliers eux-mêmes ne pensent qu'à se battre, et comme l'Ordre est composé de multiples nations, les bagarres sont en réalité incessantes.

Bref, l'une d'elles a éclaté un soir d'août au domicile de l'organiste de la cocathédrale Saint-Jean, fra Prospero Coppini. Tous les chevaliers présents sont italiens, les esprits sont échauffés, l'alcool coule à flots, la porte d'entrée est défoncée, les chevaliers font usage de leurs armes, un coup est tiré, l'un d'eux est blessé. Après enquête, on arrête fra Giovanni Pietro de Ponte, diacre de l'église conventuelle, et le Caravage. Ont-ils servi tous les deux de boucs émissaires, en raison de leur origine non noble ?

Le Caravage est donc envoyé en prison et, le 5 ou le 6 octobre, il s'évade. Cette évasion est un mystère, on sait juste qu'elle a eu lieu à l'aide de cordes, et l'on ne peut s'empêcher de penser alors à la mystérieuse double corde qui, d'une manière aussi ironique que prophétique, traverse la partie droite de *La Décollation de saint Jean-Baptiste*, passe à travers un anneau métallique scellé dans le mur et serpente jusqu'aux pieds du saint. Cette corde, qui a servi à lier Jean-Baptiste avant son exécution, gît au sol, comme sans doute celle que les autorités ont trouvée, accrochée le long du mur de la prison d'où le Caravage s'est enfui, un bateau l'attendant au pied de la forteresse.

Il semblerait que l'ombre des Sforza Colonna plane derrière cette évasion rocambolesque, qui me fait penser à celle de Casanova de la prison des Plombs, à Venise, en 1756. Le procureur des prisons de Malte, un certain Giovanni Girolamo Carafa, était en effet apparenté à la célèbre famille, qui décidément avait tissé autour du Caravage un véritable filet de protection et qui était prête à tout pour lui permettre de vivre à sa guise.

Une embarcation, affrétée bien sûr par les Sforza Colonna, l'emporta vers Syracuse, en Sicile.

Pendant ce temps, l'Ordre de Malte se réunit en assemblée pour radier le Caravage : la chevalerie interdit à ses membres de quitter l'île sans son autorisation. On vote à l'unanimité sa déchéance : le Caravage est condamné à « être expulsé et retranché comme un membre pourri et fétide ».

La cérémonie de dégradation a lieu dans l'oratoire Saint-Jean, sous *La Décollation de saint Jean-Baptiste* : posé sur une chaise vide, un uniforme de chevalier est rituellement taillé en pièces.

# CHAPITRE 49

## *Sicilia !*

J'accélère. La vie d'un fuyard est morne et trépidante. Début octobre 1608, le Caravage débarque dans le port de Syracuse. En trouvant refuge en Sicile, qui est en territoire espagnol, il se soustrait à la fois aux juridictions maltaise et pontificale ; mais ses aventures avec la chevalerie de l'Ordre – incarcération, évasion, expulsion – ont ruiné tous les efforts qu'il avait entrepris pour échapper à la justice. Voici que, en exposant de nouveau son quotidien au danger des représailles, le Caravage renoue avec cette angoisse qui accompagne l'exil.

Il va passer une année entière en Sicile, mais en changeant constamment de résidence : d'abord Syracuse, puis Messine, puis Palerme, avant de tenter de nouveau sa chance à Naples.

Sans doute n'est-il pas exagéré d'affirmer que, les deux dernières années de sa vie, le Caravage se cache ; au fil du temps, la menace qui plane sur lui grandit au point de rendre son instabilité proche de la folie : plusieurs de ses contemporains le décrivent dormant tout habillé, un poignard à la main, et ne sortant qu'à la nuit tombée ; certains vont jusqu'à dire qu'il a l' « esprit dérangé », mais comment ne pas être « dérangé » quand on est l'objet d'une telle réprobation et qu'on ne peut rentrer chez soi ?

L'Ordre de Malte est connu pour sa rancune : on dit qu'il poursuit implacablement, où qu'ils se trouvent, les fugitifs qui ont quitté l'île sans son autorisation ; ainsi Alof de Wignacourt, le grand maître de l'Ordre de Malte, avait-il confié à deux chevaliers, dès le 8 octobre, la mission de retrouver le Caravage ; et pourtant – c'est là toute l'ambiguïté de la position du Caravage –, il semble que le Caravage ne fût jamais directement inquiété, car l'un des membres du Conseil vénérable de l'Ordre, Fra Antonio Martelli, prieur de l'Ordre à Messine, dont le Caravage a fait le portrait, n'a rien voulu entreprendre contre le peintre et semble même avoir dissuadé toute attaque contre lui.

Revers de cette ambiguïté : ces arrangements autour de son génie – et la possibilité pour chacun d'obtenir éventuellement un tableau, voire un portrait, ou plus simplement de prendre part à la vie d'un artiste, laquelle, à l'époque de la Contre-Réforme, commence à revêtir une importance sociale –, s'ils gratifient à tout moment le Caravage de la possibilité d'un sésame comme seul l'art peut vous en accorder – quelqu'un surgissant de nulle part et disant : laissez-le passer, c'est le Caravage –, laissent pourtant l'artiste aux prises avec une anxiété inapaisable : la possibilité inverse de voir surgir à n'importe quelle heure du jour ou de la nuit ses deux poursuivants suffit à lui rendre la vie impossible.

Le plus drôle, c'est que le Caravage continue à se présenter, à Syracuse, et plus tard à Messine, comme *Fra Michelangelo Merisi*, chevalier de l'Ordre de Malte, et qu'il reçoit à ce titre des commandes, signe des contrats et les honore.

En effet, grâce à la recommandation de son ami Mario Minitti, qui fut l'un de ses modèles les plus constants à Rome, posant pour le *Jeune garçon portant une corbeille de fruits, Le Joueur de luth* ou même *La Vocation de saint Matthieu*, et qu'il retrouve à Syracuse, où celui-ci dirige à présent un atelier de peinture où l'on produit des œuvres à la chaîne, le Caravage reçoit du sénat de Syracuse une commande officielle pour l'église Santa Lucia al Sepolcro : *L'Enterrement de sainte Lucie,* 408 × 300 cm, son plus grand tableau.

Puis, alors qu'il fuit Syracuse, craignant d'être repris par les sbires de l'Ordre de Malte, et rejoint Messine, deuxième ville plus importante de Sicile, un riche commerçant génois, Giovan Battista de' Lazarri, lui commande, pour orner le maître-autel de sa chapelle dans l'église des Padri Crociferi, une *Résurrection de Lazare.*

Ces deux tableaux ouvrent une brèche stupéfiante dans l'œuvre du Caravage ; on dirait qu'ils émanent d'un monde impartageable qui parviendrait soudainement à sortir de terre, comme le ferait un miracle sombre ; leurs camaïeux bruns frottés d'ombres immenses semblent provenir du tunnel de l'insomnie, de ces catacombes intérieures qui creusent des galeries dans les nuits blanches.

Comment fermer l'œil ? Ce sera la question qui animera désormais la vie du Caravage : quand on est à ce point exposé à la mort, chaque instant se confond avec elle. On croit qu'on peint des saints, des saintes, une *Adoration des bergers*, une *Nativité*, mais en réalité on peint l'extension du domaine de la mort, le tombeau qui s'élargit à tous les murs, et la fragilité des corps qui s'effacent, disparaissent et s'ensevelissent d'euxmêmes dans une terre dont la couleur brûlée fait d'elle un grand linceul de poussière.

Pour *L'Enterrement de sainte Lucie*, Caravage ne peint pas, comme le font tous les peintres, les yeux énucléés de la sainte posés sur une assiette, mais son corps allongé à même la terre, qui semble raccourci par la dernière solitude. Son bras semble un moignon, l'ovale de son visage compose déjà un trou absent, et pendant que deux fossoyeurs, dont la taille de géant et les muscles saillants semblent émaner d'un monde irréel, creusent la tombe au premier plan, une frise de têtes en deuil, comme dans *La Mort de la Vierge*, vient piquer le grand mur aveugle qui mange la matière et semble dévorer les corps. Il y a un évêque qui cherche, dans cet amas de pénombre, à bénir la sainte ; il y a des fronts éplorés qui se baissent, se détournent, cherchent une issue à leur chagrin et savent qu'il n'y en a pas ; il y a un jeune homme aux mains croisées, peut-être un diacre, dont le manteau rouge et le beau visage grave penché vers Lucie ouvrent au milieu du tableau une lueur dont on ne sait si elle sauve ou perd.

« Voici ce que je vois et qui me trouble » : c'est une phrase des *Pensées* de Pascal. Je me la répète souvent face aux tableaux du Caravage ; mais on dirait qu'à travers ce tableau où la chair est réduite en poudre, où le visible est affecté d'effacement, où les pieds n'existent plus, dissous dans la matière même d'une peinture qui devient de la poussière, c'est lui, le Caravage, qui la prononce, c'est lui qui nous invite à descendre dans le tombeau : « Voici ce que je vois et qui me trouble », dit-il.

Je me demande comment il a fait pour peindre ce tableau, et quelques mois plus tard *La Résurrection de Lazare*, dans ces conditions d'angoisse, sans atelier, sans matériel, sans rien — avec un tour dans le pinceau qui ne lui était pas habituel, avec une vision nouvelle de l'espace, un monde dilaté, des corps infimes et des murs qui pensent.

J'imagine une chambre de fortune, une lanterne, des pigments, quelques visages qui posent ou qu'il a vus le matin au marché, ou le soir dans une taverne, un bouquet de lueurs qui deviennent fixes, et voici la béance qui s'affirme : autour d'elle les formes se déplient, le brun, le rouge, le blanc trouvent leur consistance, et c'est un crépuscule qui enveloppe une dizaine de corps rassemblés autour d'une morte qu'on met en terre, ou d'un mort qu'on sort de terre.

L'inhumation, l'exhumation : peut-on aller plus loin ? La terre se peint ici comme l'horizon de la vie humaine.

Plus tard, Goya peindra cela : il entrera dans le mur, et il n'y aura plus qu'un monde épais comme une croûte qui sonnera la fin de l'entente humaine. Le feu baigne là, étalé comme une boue verticale, et les silhouettes qui dansent à travers le flamboiement se décomposent, toutes petites, comme de la buée qui trouve son extinction. On dirait qu'on a versé dans une basse-fosse et que le monde continue à jouer la tête en bas, ou allongé comme un cadavre, les pieds devant.

# CHAPITRE 50

## *Approche du Christ*

Je m'arrête un instant à Messine, face à *La Résurrection de Lazare.* On est en 1609. Le Caravage approfondit une solitude qui le dépouille ; il s'abîme dans une obscurité qui se resserre sur son souffle ; on dirait qu'il disparaît : d'ailleurs on ne sait plus rien sur lui – où vit-il ? avec qui parle-t-il ? Le Caravage rejoint son propre mystère. C'est la nuit, et il peint : sa main, dans l'ombre, trace de brusques lueurs qui, en fouillant l'épaisseur du péché, scintillent à la recherche de la grâce.

Il arrive qu'à force de regarder des peintures on se mette à voir quelque chose de très simple ; et que cette simplicité se change en lumière.

Depuis que je m'aventure à écrire sur la vie et l'art du Caravage – depuis qu'avec ce livre je me suis mis à chercher dans la matière de la peinture une vérité qui pourrait se dire –, je suis guetté par un mouvement qui abandonne mes phrases en même temps qu'il les appelle : elles semblent partir dans des directions qui m'échappent, et je ne les reconnais pas toujours ; mais je les laisse faire, car il me vient avec elles l'espérance qu'en se perdant elles parviennent à s'éclairer d'une lumière qui n'est pas seulement raisonnable, à glisser vers je ne sais quoi de plus ouvert que leur sens, à entrer dans un pays plus inconnu encore que la poésie, où la vérité fait des apparitions étranges, comme s'il existait encore autre chose que la nuit et le jour, un temps qui échappe à leur contradiction, qui n'a rien à voir avec leur succession, qui défait le visible en même temps que l'invisible.

La peinture a lieu ici, à ce point d'éclat où l'on ne s'appartient plus, où le Caravage échappe non seulement à ses bourreaux, à ses ennemis, aux chevaliers de l'Ordre, à la mort qui le condamne et prend chaque jour une forme différente, mais aussi à ses mécènes, à ses amis, à ses amours, à tous ceux qu'il connaît à Rome, à Malte, à Syracuse ou à Naples, à tous ceux qu'il ne connaît pas et dont il redoute les désirs et le ressentiment.

Là, le visible s'efface ; et ne dépend plus de rien, ni du temps ni de l'espace, ni des histoires personnelles ni d'aucune conception sur l'art. La peinture et le mystère se rejoignent, comme ils se sont rejoints un jour sur un mur de la grotte de Lascaux, comme ils continuent à coïncider parfois, follement, sans qu'on puisse savoir pourquoi ni comment.

La solitude du Caravage réside dans cet emportement qui l'amène à vivre la peinture comme un moyen pour atteindre le mystère ; et à vivre le mystère comme un moyen pour atteindre la peinture. Ce mystère serait-il le nom de quelque chose de plus grand que nous, ou le rien à quoi nos vies sont mêlées et vers quoi elles se compriment, il n'affirme de toute façon qu'une chose qui manque. Parfois, rien n'est plus clair.

Alors voici : à force de regarder la peinture du Caravage et de m'interroger sur son expérience intérieure, sur la nature de son angoisse, sur la progression du péché dans sa vie et l'intensité de ce qui, à la fois, le sépare et le rapproche de la lumière, je me suis aperçu que de tableau en tableau, centimètre après centimètre, il se rapprochait du Christ.

L'histoire du rapport entre le Caravage et le Christ mériterait la matière d'un livre entier ; en un sens, c'est l'objet de celui-ci – mais il n'est pas si facile d'y accéder : un tel objet ne peut être abordé qu'à travers les tours et détours d'une passion, elle-même hésitante et emportée, timide et contradictoire, qui avance et recule, s'enflamme, se refroidit – s'interroge : il faut du temps, des phrases, et la capacité de convertir la pensée qui vient de ces phrases et de ce temps en une *expérience*, c'est-à-dire un récit.

Autrement dit, il faut en passer par de la littérature : elle seule, aujourd'hui que l'ensemble des savoirs s'est rendu disponible à travers l'instantanéité d'un réseau planétaire qui égalise tous les discours et les réduit à déferler sous la forme d'une communication dévitalisée, se concentre sur la possibilité de sa solitude ; elle seule, par l'attention qu'elle ne cesse de développer à l'égard de ce qui rend si difficile l'usage du langage, donne sur l'abîme ; elle seule prend le temps de déployer une parole qui cherche et qui soit susceptible, à travers ses enveloppements, de faire face au néant, de détecter des brèches, de susciter des passages, de trouver des lumières.

Au fil des années, le Caravage se rapproche du Christ : on le mesure en observant l'évolution de leur distance dans les tableaux. En 1599, ils ne sont pas encore dans le même cadre : alors que Jésus se tient dans *La Vocation de saint Matthieu*, le Caravage est dans *Le Martyre,* le tableau d'en face – il est présent, d'une manière douloureuse, aux côtés du crime, plutôt que dans l'aura de la vocation. On a vu qu'il se contente de lancer, d'une toile à l'autre, un regard angoissé, honteux et peut-être défiant au Christ. L'innocence est impossible ; le Caravage est enfoncé dans l'épaisseur du péché ; et pourtant, il n'a pas encore tué.

À peine quatre ans plus tard, en 1603, le voici de plain-pied avec Jésus : il est présent dans la scène de *L'Arrestation du Christ*, ce tableau saisissant, plein de tumulte et de cris nocturnes, qu'on peut voir à la National Gallery de Dublin, où, dans une extraordinaire mêlée à sept personnages comprimés dans un étau de ténèbres, des soldats en armure s'emparent du Christ que Judas, aux traits déformés par la laideur morale, vient de trahir.

Tandis que le Christ, mains jointes et la tête enveloppée d'un large pan de manteau rouge qui protège sa lumière intérieure comme un dôme angélique, détourne son regard de ses agresseurs avec une douceur affligée, quelqu'un, isolé à droite du tableau et qui ne fait partie ni de la troupe des soldats ni de celle des apôtres, émerge de la masse en s'efforçant d'éclairer la scène à l'aide d'une lanterne qu'il lève au-dessus des têtes ; son visage est fatigué, mais il est dans la lumière, le regard tourné vers le Christ dont il essaie de s'approcher : c'est lui, c'est le Caravage.

Le sens de cette métaphore est clair : par son art, le peintre s'efforce de se rendre présent aux temps sacrés, il éclaire le monde depuis l'invisible auquel l'ouvre la peinture ; mais on peut penser que, avec son visage levé avidement vers la scène, le Caravage fait plus qu'éclairer son atelier mental. Ses yeux tourmentés et sa bouche ouverte expriment une attente, comme si le Caravage cherchait avant tout à se rapprocher du Christ. Mais le salut n'est pas à sa portée : entre le Christ et lui, l'espace est bloqué (par des corps, par les fautes du Caravage) – la distance est encore grande entre les deux.

Et nous voici donc en 1609, en Sicile, à Messine : le Caravage est condamné à mort par ie pape, recherché par l'Ordre de Malte, cerné par une vendetta personnelle ; il se cache et il peint – il n'y a pas plus seul au monde que lui.

En six ans, il a énormément peint le Christ, on se souvient, entre autres, des deux *Flagellation*. Voici qu'à grands traits ocre, rouges et noirs, négligeant désormais le détail des carnations pour approfondir avec plus d'intensité l'espace drama- tique où entre vie et mort s'agitent les humains, il se consacre à ce qui est peut-être son plus grand tableau, le plus audacieux : *La Résurrection de Lazare*.

Nous sommes dans le sépulcre, les murs très hauts sont enduits d'ombre et, dans le fond du tableau, l'immensité d'une porte noire ouvre à la mort ou au salut. Deux hommes soulèvent la dalle et sortent le corps de Lazare que le bras du Christ ressuscite. L'espace tout entier, occupé par une foule en cascade d'où émergent des visages grimaçants, semble chavirer au cœur de la béance entre vie et mort, que le bras du Christ va répa- rer.

Toute la composition tient par la rencontre miraculeuse entre la ligne horizontale formée, comme dans *La Vocation de saint Matthieu,* par le bras tendu du Christ, et le corps nu, dépouillé de son suaire et de ses bandelettes, de Lazare, dont la rigidité cadavérique forme une croix qui annonce celle sur laquelle le Christ, à son tour, mourra et sera ressuscité.

Entre le Christ et le corps de Lazare soutenu par ses deux sœurs, un homme dont le visage est tourné vers le Christ (alors que tous les autres personnages regardent en direction de Lazare) semble couper la trajectoire résurrectionnelle ; il est au milieu du tableau, et sans prendre part à l'événement, encore moins à la stupéfaction générale, il s'avance vers le Christ.

Le contraste entre les deux est flagrant : autant le visage de cet homme est couvert de lumière, au point qu'on lui dirait le visage brûlé, autant le Christ disparaît dans l'ombre.

Cet homme, c'est le Caravage. Il s'est peint là, à quelques centimètres du Christ ; ses mains sont jointes et touchent presque celle de Jésus tendue vers Lazare qui va reprendre vie.

Que se passe-t-il exactement entre eux deux ? De quelle nature relève cet échange ? Y a-t-il même échange, ou un simple côtoiement ? On a la sensation que cet homme au visage en feu remonte le cours de l'action, comme s'il voulait accéder à la source même de ce geste christique – ou lui demander quelque chose : une bénédiction ? Un pardon ? L'amour se tient ainsi debout dans la grâce ; on ne sait s'il la regarde ou la reçoit.

En un sens, la lumière dorée qui baigne le visage du Caravage ne peut provenir que du Christ, lequel s'est vidé de sa lueur et demeure dans l'ombre ; une ligne verticale coupe la tête du Caravage, exactement positionnée entre la lumière et les ténèbres. Le Caravage est plus près que jamais du Christ, son visage est comme brûlé par la lumière évangélique, ses mains sont jointes, mais il est *à côté*. Sans doute ne sera-t-il pas possible de s'avancer plus dans la lumière : rien n'est plus tragique que de voir ce petit espace brûlant et rouge qui le sépare encore du Christ. Cet espace est le nôtre : c'est là que nous vivons, dans les quelques centimètres où s'approche et s'éloigne la possibilité du salut ; ces quelques centimètres sont notre lopin intime, celui dans lequel nous tournons en rond dans le feu qui nous consume et peut nous détruire aussi bien que nous illuminer ; où nos désirs, à force de se creuser, ouvrent peut-être une tombe au lieu de trouver l'issue.

# CHAPITRE 51

## *Les derniers secrets*

Nous croyons vivre dans un espace mesuré par le double rapport que nous entretenons avec les étendues géométriques du globe et avec les autres vivants ; mais, à chaque instant, nous évoluons dans l'infini d'une contrée plus étrange, qui double notre vie amoureuse et sociale, un territoire qui déborde l'espace-temps mondialisé et ne cesse de s'ouvrir et de se fermer au gré de nos aspirations, de nos actes, de nos pensées. Cet *autre pays*, présent comme un filigrane, ne cesse d'être livré à un combat entre la lumière et les ténèbres, d'où résultent les variations quotidiennes de notre avancée vers le favorable ou de notre recul devant l'hostilité. Toutes les religions ont formalisé cette lutte ; et tous les dieux, depuis toutes les époques, se déchirent d'un éclair l'autre pour que ce pays à la violence inaugurale, où se rejoue à chaque instant la création du monde, s'illumine et nous accueille. Ce plan de la vie auquel on s'ouvre par l'esprit est le sacré ; et qu'on soit enveloppé dans une foi ou qu'on en repousse les illusions, on est pris, qu'on le veuille ou non, dans ce récit qui trame d'une manière invisible notre parcours sur terre : « Tout le visible tient par l'invisible », écrit Novalis.

C'est à ce pays spirituel aussi sombre qu'effrayant que la peinture du Caravage nous invite ; et si le crime y est prégnant, plus que chez aucun autre peintre, c'est parce qu'il ne saurait exister de grâce sans qu'en même temps le malfaisant ne se jette sur vous. On peut se dérober, on croit qu'on se dérobe ; mais en vérité on ne se dérobe pas : on est là, dans l'ombre, avec le mal ; et dans la lumière, avec la parole. On avance, on recule, comme dans une grotte. Et lorsqu'à la fin de sa vie le Caravage resserre sa peinture sur un bain de ténèbres qui dilate l'espace, comme dans *Les Funérailles de sainte Lucie* ou *La Résurrection de Lazare*, ses deux tableaux les plus déchirants, les plus *inspirés*, il fonde une architecture aussi aride que nue, où les vivants, revenus de leurs divertissements, ne sont plus que face à la vie et à la mort.

Rien n'existe à part ces deux mots : à chaque instant, vie et mort passent devant nous, et nous tendons la main. Dieu demande à Adam : « Où es-tu ? » C'est la seule question : où en sommes-nous de nos vies ? Autrement dit : où en sommes-nous avec la vérité ?

À force d'être détournés par les difficultés de l'existence, la charge d'exister, la pesanteur des rapports de force, l'inessentiel qui prend le dessus à travers notre affairement, nos addictions, nos vices, ne glissons-nous pas loin d'elle ? Ou au contraire parvenons-nous à garder le cap, à nous rendre disponibles à ce qui éclaire la vie humaine, à rester en contact avec le « point le plus vivant », dont parle Dante, qui s'exhausse au croisement de l'amour et de la poésie ?

« Vie intérieure », « vie spirituelle » sont des vieux mots qui désignent, malgré leur caducité, l'accès à cette révélation, toujours brûlante, qu'il existe un plan où chaque instant, vécu ou non par les humains, est décisif. Où l'on écoute une parole qui peut prendre la forme d'un silence.

On raconte que *La Résurrection du Christ* qu'il a peinte dans les derniers mois de sa vie, et qui a été détruite par un tremblement de terre au début du XIX<sup>e</sup> siècle, montrait un Christ sortant du tombeau et marchant sur ses gardes : *il s'évadait*.

Comme lui, le Caravage, s'enfuyant de Rome, s'enfuyant de la prison de La Valette, s'enfuyant de Syracuse, s'enfuyant de Messine, s'enfuyant de Palerme et de toutes les villes qui sont des prisons, et de sa vie elle-même, si remplie de crimes, de fautes, de sang, n'a jamais fait, à chaque instant, que ça : s'évader.

Chaque vie est prise dans *les derniers secrets* ; celle du Caravage tend vers cette phrase que Paul envoie aux Hébreux : « Sans effusion de sang, pas de rémission des péchés. »

Il est impossible à ceux qui vont loin de ne pas d'abord s'égarer : l'éclair par lequel un peintre comme le Caravage *saisit la vérité* nous touche d'autant plus que sa foudre illumine des instants criminels. Mais s'il saisit, par la peinture, cette vérité, celle-ci à son tour le saisit-elle ? Est-ce que la grâce qu'il y a dans ses tableaux et qui transmet sa lumière au visible traverse le Caravage ?

J'ai souvent pensé, durant les mois qu'a duré l'écriture de ce livre, que le Caravage était un homme qui faisait avant tout l'expérience de l'*abandon* ; et que la dénudation à laquelle l'avait contraint sa vie, et sa passion sacrificielle pour la peinture, relevaient de cette solitude à travers laquelle on fait l'expérience d'une mort à soi qui vous ouvre à la part invisible de toute chose. L'abandon vous initie ; l'abandon vous sépare : alors, vous rencontrez l'élément même de ce qui est seul ; vous évoluez à l'intérieur de ce noir où les ténèbres, en se dispersant, ont pris la place de l'existence et sont devenues matière ; et c'est à travers la connaissance que le Caravage possède de ce noir que la mort se pense et qu'elle est donnée au visible.

Mais ce que les hommes nomment l'abandon n'est jamais que l'absence du dieu en eux : et le Caravage, au contraire, n'aura cessé d'en reconnaître la présence au fond de chaque toile. Peut-être même – l'énigme brûle ici – s'applique-t-il à faire venir, tout au fond de sa toile, l'équivalent en peinture de cette part ténébreuse du Dieu qui meurt et séjourne parmi les morts durant le Samedi saint. Ces ténèbres, dans lesquelles même le Christ est allé, le Caravage les peint : cette vie qui connaît la mort et n'en meurt pas est à l'œuvre dans le noir de sa peinture.

Que cette présence du divin ait suscité de sa part une conciliation – qu'il ait aimé le divin au point d'y consacrer ses forces ou s'en soit détourné par la hargne d'une débauche inextinguible, c'est ce qu'on ne peut trancher. Le péché entre-t-il partout ou s'arrête-t-il à la porte des œuvres ? Le Caravage est allé si loin dans ses propres ténèbres qu'il peut sembler que ce ne soit pas le même qui découvre des régions indemnes par son art. Mais il faut bien qu'il y ait la grâce, sinon qu'est-ce que la peinture ?

Et puis, toutes choses doivent concourir pour le mieux, *même le péché.* Ce n'est pas moi qui le dis, c'est saint Paul et saint Augustin : le péché lui-même nous bénit, car Dieu ne veut pas que le péché dans lequel nous tombons puisse ne pas du tout avoir lieu.

Il saute aux yeux que jamais le Caravage n'a pu sortir de lui-même et trouver l'apaisement, même s'il lui est arrivé, en occupant le lieu le plus bas, de se débattre entre les bras de la lumière. Les tourments mènent au royaume, mais ils sont aussi ce qui en détourne : va à ta recherche et, là où tu te trouves, quitte-toi – c'est le sens du salutaire.

Il existe une étincelle qui n'a jamais rien eu à faire avec le temps et l'espace. S'oppose-t-elle aux créatures, aux montagnes, aux rivières ? Elle éclaire, pourtant. Rien ne lui suffit, pas même Dieu, encore moins ce qui repose en soi et qui ne donne ni ne reçoit. Dans ce désert où jamais quelque chose de distinct n'a jeté un regard, là où personne n'est chez soi, brille cette lumière.

Est-ce que les peintres ne cherchent pas, en accumulant de la matière, en animant couche après couche des mondes doués de substance et de vie muette, un accès à cette région où l'étincelle se produit d'elle-même ? C'est en inventant le monde qu'on se délivre : quelqu'un comme le Titien, comme Rembrandt, comme le Caravage, à force de méditer, égale à un moment le premier coup de pinceau de Dieu : ils sont dans l'âme qui fait le ciel et la terre, les oiseaux, et les arbres, et les océans.

À un moment de l'amour, il faut se mettre à peindre en noir, car tout ce qui est créé échappe aux lumières insuffisantes – c'est une remarque de Maître Eckhart : « Si quelqu'un peignait en noir le plus haut parmi les anges, la ressemblance serait bien plus grande que si on voulait peindre Dieu dans la forme du plus haut des anges. »

Le fond des tableaux du Caravage prend soudain une signification à laquelle on ne s'attendait pas ; on voit surtout dans cette peinture la violence qui clôture le réel – mais voici, à la fin, qui nous sidère : le noir est la couleur de Dieu.

# CHAPITRE 52

## *Le retour*

Après Syracuse, après Messine, après Palerme où le Caravage s'est réfugié suite à une altercation dont il est sorti blessé et où il a eu le temps de peindre une *Nativité avec saint François et saint Laurent*, qui a été volée en 1969 – et dont un parrain de la mafia sicilienne s'est souvenu récemment, en prison –, le Caravage, qui rêve toujours de rentrer à Rome et attend le pardon du pape, monte sur un bateau à destination de Naples.

Bellori écrit : « Après cela, jugeant périlleux de s'attarder davantage en Sicile, il quitta l'île et regagna Naples, où il pensait demeurer jusqu'au moment où il recevrait la grâce de son pardon et pourrait regagner Rome. »

On est en septembre 1609. Sans doute y est-il attendu, car, le 24 octobre, il est attaqué devant l'Osteria del Cerriglio, près de l'église Santa Maria la Nova : le voici défiguré par une balafre qui lui coupe le visage en deux. L'entaille est si profonde qu'elle le rend méconnaissable ; et la blessure si grave qu'à Rome on annonce sa mort.

On estime que ces hommes de main furent envoyés par le chevalier de l'Ordre que le Caravage aurait offensé à Malte. Il est sûr, en tout cas, que le Caravage mit plusieurs mois à se remettre de cette agression ; et il est troublant de penser que le peintre de *Narcisse* et de la *Tête de Méduse*, c'est-à-dire celui qui a réfléchi aussi radicalement à l'essence morbide de la ressemblance – à *ce qui tue au fond du regard* – ait ainsi perdu la possibilité de se reconnaître.

Oui, que le Caravage ait fini sa vie méconnaissable – le visage *défiguré* – est un événement qui n'a pas été pensé. L'expérience de la mort s'accomplit ici d'une étrange manière, en anticipant chez le sujet la biffure de la face : il n'a plus de visage.

Son *Narcisse*, penché sur l'eau, éprouvait à travers son reflet une annulation de soi : en se regardant, on perd sa tête, qui n'est plus qu'image, reflet flottant qui s'efface, mort. En cela, la tête de Méduse est ce que voit tout Narcisse en se penchant sur le miroir.

La surface lacérée du visage du Caravage s'offre comme l'ultime toile : la peinture s'y jette au couteau. Le visible se reconnaît ainsi lui-même, sans personne, entre les coupures. Pour un peintre, perdre son visage est la dernière expérience : quand il s'approche du miroir, qui voit-il ?

Le Caravage vit alors à Chiai, un quartier de Naples qui borde la mer, dans la résidence de sa protectrice de toujours, la marquise Sforza Colonna ; il va demeurer les neuf derniers mois de sa vie en villégiature dans ce palais, entouré de pins parasols, de cyprès, de citronniers et d'orangers en fleurs, qui domine la baie : il se rétablit avec lenteur – et peint.

Est-il toujours aussi agité ? Il est difficile d'imaginer le Caravage à bout de violence ; la fièvre qui anime la moindre de ses pensées élargit son tumulte. Francesco Susinno, un de ses biographes du xviiie siècle, prétend qu'on tendit dans une église l'eau bénite au Caravage afin de l'absoudre de ses péchés véniels : il la refusa, alléguant que tous ses péchés à lui étaient mortels. Et justement, le rachat des péchés, l'Évangile ne l'a-t-il pas promis aux déshérités, aux réprouvés, aux bannis ? Le Caravage, à lui seul, est tous ceux-là.

On lui commande des Salomé, dont l'une est envoyée en cadeau à Malte, au maître de l'Ordre, pour tenter de l'apaiser, un *Crucifiement de saint André*, un *Reniement de saint Pierre*, un *Martyre de sainte Ursule*, et son célèbre *David avec la tête de Goliath,* destiné peut-être, lui aussi, aux yeux du pape, du moins à ceux de son neveu le cardinal Scipion Borghèse, à faire preuve d'humilité, peut-être même à obtenir un sacrement de pénitence.

Après l'extraordinaire renouvellement dont sa peinture a fait l'expérience en Sicile, ses tableaux semblent ne plus chercher d'autre vérité que celle de la culpabilité. La palette est devenue plus sombre que jamais : il n'y a plus que la faute, dont l'opacité affecte à présent les corps tout entiers, l'espace autour d'eux, l'absence de ciel ; et là-dessus errent des reflets qui déchirent cette pâte, des bouches qui s'ouvrent, des yeux qui brillent, un long cri muet.

Dans ces œuvres crépusculaires, la main du Caravage discerne une pensivité au cœur du noir, qui relève de l'effroi et de la compassion. Le cri d'angoisse de l'enfant qui fuyait *Le Martyre de saint Matthieu* s'est propagé : l'univers entier est entré dans sa bouche. S'il est proposé à chacun de *connaître sa demeure dans la vérité*, le Caravage, en n'habitant nulle part, l'a connue mieux que personne : elle réside dans l'éclair angoissé qui traverse les corps condamnés à mort.

Existe-t-il quelque chose de plus que le pardon ? Aux non-réconciliés, la source est-elle permise ? Le cœur, la vérité, le dieu orchestrent une partition qui expose la vie de chacun à la flamme du dévoilement : les vivants et les morts tournent là, sur la pointe d'une lame ; et s'il existe de l'indemne, et qu'on y accède par l'écriture ou par des figures peintes, il est moins sûr qu'on puisse s'y glisser soi-même, avec son cœur et son esprit : le Caravage s'évadant d'une geôle de La Valette pourrait-il dire, comme Rimbaud : « Je suis intact, ça m'est égal » ?

Le dévoilement ne surprend pas les âmes : il les déchiffre à chaque instant – c'est gratuit. Cela, le Caravage l'a peut-être ignoré. Car, même si l'on se détourne d'une telle offre, elle continue d'avoir lieu sans vous : entrer dans la lumière et en sortir est le plus simple des actes rituels ; mais y demeurer se révèle le plus difficile.

*Le Martyre de sainte Ursule* est son dernier tableau, peint à la fin du printemps 1610 : c'est une étrange féérie triste qui brille dans le noir – l'instant de la mort saisit une jeune femme, dont la poitrine est transpercée par une flèche tirée à bout portant par un vieil archer en cuirasse. On suit du regard la trajectoire de cette flèche qui s'est fichée dans la chair de la jeune sainte ; ses mains ouvertes en arc de cercle et les pouces relevés autour du lieu où la mort l'a pénétrée disent bien qu'il s'agit d'un viol. Parce qu'elle a refusé d'épouser le vieux roi des Huns, Ursule reçoit sa flèche : le meurtre prend la place du sexe. Et tandis qu'elle contemple la béance avec une douceur qui suspend toute violence et décontenance le bourreau, un peu de blanc partout se répand, comme de la neige. Possible que la mort soit blanche – gris-blanc, presque bleue : sa couleur illumine la poitrine et le visage de la sainte, elle déborde sur le bras d'un soldat derrière elle, sur son casque. C'est son âme qui glisse à travers ce blanc sur les armures ; et la voici qui offre un peu de lumière au fond, là-bas, à un homme dont le visage est levé très haut, avec la bouche grande ouverte, comme si, littéralement noué au dos de la sainte, la tête sortant du corps de cette femme qui en mourant lui donne vie, il cherchait avidement à boire cette lueur, à se nourrir de cette lumière, à vivre grâce à cette flamme peinte : c'est lui, c'est le Caravage – c'est son dernier autoportrait.

Voici qu'il embarque dans le port de Naples à bord d'une felouque. On est au début de juillet 1610. Le Caravage a décidé de se rendre à Rome : sans doute a-t-il des raisons de penser que la rémission papale n'est plus qu'une question de jours. Il emporte avec lui de l'argent, quelques effets personnels et des tableaux, roulés sur eux-mêmes, une *Madeleine* et deux *Jean-Baptiste*, l'un qui est destiné au cardinal Scipion Borghèse, l'autre qu'on n'a pas retrouvé.

La felouque le dépose à Palo, un petit port du nord de Rome, à mi-chemin entre Ostie et Civitavecchia. Au cours de cette escale, il descend à terre, sans doute pour régler quelques formalités, et le voici immédiatement appréhendé par le capitaine des gardes pontificaux, qui l'emprisonne pour quelques jours. Il est possible que son nom ait figuré sur une liste de personnes recherchées ; en tout cas, il est obligé de payer une forte somme pour sa libération, et lorsqu'il est enfin relâché, la felouque a disparu avec les tableaux.

Baglione raconte : « Furieux, désespéré, il longea la côte sous la cruelle chaleur du soleil d'été, cherchant à apercevoir le navire qui transportait ses biens. » Bellori poursuit : « Il ne peut retrouver sa felouque. [...] Aussi, cruellement tourmenté par l'angoisse et le désespoir, parcourut-il le rivage, au plus fort de la chaleur de l'été. »

Le Caravage tente en effet de rejoindre Porto Ercole, prochaine escale de la felouque, afin de récupérer ses biens ; il y a cent kilomètres entre Palo et Porto Ercole : on peut imaginer le désespoir du Caravage, qui utilise tous les moyens de transport possibles, mais, cette région très marécageuse étant presque déserte, il effectue sans doute quasiment tout le trajet à pied. Lorsqu'il parvient enfin à destination, au bout d'une semaine, il n'y a plus ni felouque ni tableaux, ni rien. Et surtout, en traversant ces lieux infestés par la malaria, il a contracté une fièvre « maligne », comme on disait à l'époque – sans doute accompagnée de dysenterie.

Baglione et Bellori s'accordent sur cette fin terrible : « Atteignant pour finir un endroit habité le long du rivage, il fut mis au lit avec une fièvre maligne et mourut au bout de quelques jours, sans secours, aussi misérablement qu'il avait vécu. » « Il arriva à Porto Ercole où, frappé d'une fièvre maligne, il mourut seul, dans l'angoisse et la douleur. »

Une équipe d'anthropologues italiens a récemment exhumé le squelette présumé du Caravage parmi d'autres dépouilles du petit cimetière qui jouxte l'hôpital de la confrérie charitable de la Sainte-Croix, où il est mort il y a quatre siècles. Grâce à un segment d'ADN rare, situé sur le chromosome Y, qui correspondait à la fois à l'un des squelettes de la fosse et à des Italiens actuels du nom de Merisi, on a pu identifier la dépouille du Caravage. Selon l'équipe d'anthropologues, les ossements présentaient un taux de plomb plus élevé que les autres, un élément dont les peintures sont très chargées. Et puis, en analysant la pulpe dentaire, ils ont pu conclure à la présence d'une bactérie qui aurait, par une septicémie consécutive à l'infection de ses diverses blessures, causé la mort du peintre : le *staphylocoque doré*.

# CHAPITRE 53

## *Le nom du Caravage*

Vers le soir, la peinture s'allège. L'angoisse qui définit le moindre pigment du Caravage se déleste de sa charge noire et commence à flotter autour d'elle-même ; mes yeux retrouvent une fraîcheur rapide : ils suivent les atomes dans l'air du crépuscule et discrètement les enlacent ; j'approche doucement des ombres et m'invite à leurs nuances.

Je ne sais si quelque chose de nouveau se dévoile alors, si la mort de la Vierge baignée de draperies rouges livre enfin le mystère de tous les chagrins, si Judith en fixant la tête d'Holopherne réussit sa transparence, si la nudité des anges effrontés nous dit que jouir n'est pas un péché, si le doigt de Thomas qui s'enfonce dans la plaie du Christ rencontre autre chose qu'un trou, et si même le pinceau du peintre plonge dans toute blessure afin d'y rencontrer ce qui échappe à la matière, si les *ragazzi* aux têtes couronnées de raisins vous donnent autre chose que du plaisir, si la chasse qui hurle en continu autour des affaires humaines rencontre un jour son contraire, si le rouge dans les manteaux vous transmet, par-delà le malheur, à la joie d'aimer, si le duveté d'un fruit pâle ou la pulpe d'une gorge de courtisane vous ouvrent à une espérance sans fin – sans doute est-il impossible de savoir cela, mais une chose est sûre : la lumière arrose mieux la peinture, le soir, quand mon cœur devient clair.

Il faudrait être capable, à chaque instant du jour, de déceler comme on le fait dans la matière satinée du soir ce jeu de camaïeu où l'ombre et la clarté, en s'invitant l'une et l'autre, engendrent ces palpitations colorées qui vous remettent en vie. Car alors l'insensible recule, et l'épaisseur s'adoucit : un passage s'éclaire où l'on voit les formes glisser comme des papillons aux oreilles des femmes.

Il y a dans un poème de Hölderlin un « bleu adorable » : si j'ai bénéficié d'assez de concentration dans la journée, tout, dans les tableaux pourtant si durs du Caravage, les épaules, les lèvres, les ongles, la buée sur les carafes, le sang sur les épées, les nuques inclinées vers la lourdeur du deuil, et même l'étincellement de la peau verte piquée par un lézard, même le cri de l'enfant lorsqu'on assassine Matthieu, même l'horreur, tout m'apparaît *adorable*.

Il y a dans la peinture un élargissement de la délicatesse qui s'oppose à la perte de sensation dont les vivants sont devenus l'objet : ressentir avec subtilité n'est-il pas devenu aussi précieux que rare ? Le monde s'efface à mesure que ses couleurs trempent dans une indistinction qui est la véritable agonie de l'humanité ; pas besoin de proclamer une fin du monde ou de pressentir des apocalypses spectaculaires : le monde se rétrécit à travers son incapacité de plus en plus marquée à se dire.

Oui, c'est là, vers vingt heures, qu'il faudrait toujours regarder les œuvres qu'on aime : le soulagement qui s'offre enfin à nous les imprègne, et l'amour de vivre, en se renouvelant, nous accorde des yeux qui ont traversé l'accablement. Ce qui était serré se détend, les nuances volettent, même le noir au fond du Caravage se modifie. Je ne sais s'il brille plus, ou mieux, mais j'en apprécie l'apaisement : je découvre qu'en lui l'ampleur s'égale au temps.

J'écris ce livre depuis presque un an, et voici qu'une clarté d'hiver tombe sur ces pages ; je vois partout de la peinture, des détails qui crépitent, des grappes de raisins à la place des visages, des mains qui serrent des poignards, des corbeilles de fruits qui brillent dans l'obscurité. Il me semble qu'avec tant de peinture une clarté nouvelle est entrée dans ma vie : je vois des paysages à l'intérieur d'un paysage, je vois des lignes courir dans la rue, que je ne percevais pas avant d'écrire ce livre, un feu plus intense dans les voix, une richesse qui s'ouvre follement depuis que je regarde avec précision – avec amour – le Caravage, mais aussi Rembrandt, Titien, Manet, Courbet, Bacon et, parmi les vivants, Antoine d'Agata ou Adrian Ghenie, tous ceux qui m'ont accompagné durant cette aventure dont je sors rénové.

Les peintres nous ouvrent à la consistance du visible ; alors que la sensibilité s'épaissit et que les ténèbres ne cessent de l'engraisser, regarder aujourd'hui de la peinture élargit notre révélation du monde jusqu'à une opulence inespérée.

Voici que je m'avance vers le nom du Caravage : il est écrit dans le sang du Baptiste, au bas de ce tableau immensément rouge, *La Décollation de saint Jean-Baptiste,* qu'on voit à Malte, dans l'oratoire Saint-Jean de la cocathédrale de La Valette, et qui m'attendait depuis si longtemps.

C'est maintenant que je m'avance vers lui, mais je le regarde depuis le début de ce livre : en un sens, chacune de ses phrases a été écrite pour s'approcher du sacrifice qu'il met en scène ; chacune tourne autour de son office ténébreux et s'efforce d'en recueillir le mystère.

Qu'est-ce qui a lieu à l'intérieur de ce grand rectangle de feu ocre et sombre ? La violence du sacré crève tous les écrans ; une telle limpidité nous aveugle, comme si, en assistant à la sordide mise à mort d'un homme qui est le précurseur du Messie, nous touchions un seuil qui concerne l'histoire mystique du monde.

Jean-Baptiste, le corps recouvert d'un drap écarlate, gît sur le sol d'une cour de prison, les mains liées derrière le dos. Le bourreau s'apprête à lui trancher la tête : il plaque celle-ci contre la terre et s'empare du petit couteau, dit « de miséricorde », que les sacrificateurs utilisent pour porter le coup de grâce.

La pointe d'une épée posée par terre, sous la tête de Jean-Baptiste, nous indique que le premier coup a déjà été donné ; du sang coule de la gorge du saint. La présence d'une peau d'agneau qui sort de son manteau rouge assimile Jean-Baptiste à l'Agneau sacrificiel égorgé sur l'autel : sa mort est donc un acte de rémission, il est lui-même le sacrement, et son sang est le signe d'une renaissance.

Le geôlier à l'étonnante veste bleue brodée d'or et au trousseau de clefs qui semble ouvrir nos cauchemars dirige la scène : il tend l'index vers le plateau d'argent que tend la jeune femme (une servante, ou peut-être Salomé), tandis qu'une vieille femme – la seule qui éprouve une émotion, la seule qui, face à l'horreur, exprime de la compassion – presse les mains contre ses joues.

On voit déjà la suite : la tête du Baptiste sera déposée dans le plateau. Le silence de tels gestes est implacable. Ce qui se donne à voir, c'est un temps inexorable, celui qui bat dans l'intervalle entre l'égorgement et la décollation : ce qu'une telle peinture cherche à transmettre, c'est la substance même – eucharistique – de l'écoulement du sang.

Et justement, dans cette flaque de sang, des lettres sont tracées : « f. MichelAn ». Le « f. » vaut pour *fra* (« *frère* ») – on se souvient que le Caravage est chevalier de l'Ordre de Malte. Ensuite vient le nom du Caravage : Michelan/gelo Merisi, mais l'écriture s'interrompt en plein milieu du prénom, comme si le souffle manquait au signataire, comme si le Caravage expirait, à l'égal du saint auquel ce tableau l'assimile.

La mort s'écrit donc à travers une syncope de lettres : le Caravage est « mort » en traçant sa signature. Le fait que le nom ne soit pas complet authentifie le trépas.

La seule fois de toute sa vie où le Caravage signe un tableau, il le fait dans le sang – ou plutôt dans l'huile avec laquelle se peint le sang. Ainsi cet acte prend-il signification de baptême : le sang du Baptiste s'écoule pour le Caravage – pour que la peinture existe et qu'elle formule un nom.

Toute l'opération mystique de cette peinture vise ainsi à faire coïncider le Caravage et Jean-Baptiste dans le corps de l'Agneau : le sang du Baptiste a valeur eucharistique – il lave le Caravage du péché – et le Caravage, en donnant son nom à l'écoulement mystique, s'identifie avec la victime : il est devenu saint Jean-Baptiste. Sur ce plan de mystère où nos âmes trempent toutes dans le sang du Christ, il est reçu dans l'histoire du salut.

# CHAPITRE 54

## *Selon la vérité*

Voilà, le monde est chargé de sang, c'est pourquoi il appelle le baptême. La multiplication des images est un miracle que le monde du Caravage a préparé depuis le concile de Trente : il y a eu les pains, il y a la peinture. Le miracle de l'art est celui auquel je crois.

On pourrait très bien ne pas regarder la peinture, elle continuerait, depuis sa solitude, à nous transmettre ces lumières qui rendent possible d'enflammer encore notre monde éteint : le feu existe, c'est ce qu'elle affirme.

J'ai encore deux ou trois choses à dire. J'aimerais que ce livre ne s'arrête pas, je voudrais continuer à vivre avec le Caravage, transporter avec moi toute la journée des monographies, comme je l'ai fait pendant un an, regarder encore et encore des tableaux, réfléchir à des détails, m'ouvrir à ces figures dont il me semble qu'elles m'ont été confiées avec douceur, comme si Judith avait détaché ses boucles d'oreilles et les avait déposées dans la paume de ma main.

En venant boucler cette histoire qui a débuté il y a trente-cinq ans avec son visage, dont j'ignorais à l'époque qu'il masquait la décapitation d'Holopherne, je suis donc tombé sur une autre décapitation, celle de Jean-Baptiste ; je suis tombé sur la sainteté, le salut, le sacrifice – ces mots immenses qui ne cessent d'ouvrir la parole à un autre mot, plus fou encore : la vérité.

Toutes ces histoires de décapitation ne tournent-elles pas autour de la vérité ? Quelqu'un a dit : « Le problème de la vérité est ce qui sépare la tête et le corps. » Cette phrase, en un sens, résume en un éclair toute mon aventure avec le Caravage. Car, à ce point qui tranche, tout est dit : la parole parle, et ainsi des livres s'écrivent-ils.

Un mot encore à propos de *La Décollation de saint Jean-Baptiste* : derrière la grille de leur cellule, et contemplant l'exécution du saint, il y a deux prisonniers. Eux aussi, ils sont inexorables. Lorsqu'un crime est commis, il y a toujours quelqu'un pour le voir. Cela s'appelle l'espèce humaine : les deux prisonniers qui fixent la décollation de Jean-Baptiste à travers les barreaux de leur cellule disent crûment que le crime est toujours accompagné par la meute. La mort est un spectacle pour humains.

Je pense tout le temps à la dernière scène du *Procès* de Kafka. Des « messieurs » mènent Joseph K. dans une carrière, ils l'inclinent contre une pierre et posent sa tête dessus. L'un des messieurs ouvre sa redingote et sort d'un fourreau accroché à une ceinture qu'il porte autour du gilet un long et mince couteau de boucher à deux tranchants, le tient en l'air et vérifie dans la lumière les deux fils de la lame. Joseph K., en regardant une dernière fois autour de lui, aperçoit une lumière au dernier étage d'une maison qui donne sur la carrière et les deux battants d'une fenêtre qui s'ouvre. Un homme se penche brusquement au-dehors, en lançant les bras en avant. Qui est cet homme ? Joseph K. se demande si c'est quelqu'un qui prend part à son malheur, quelqu'un qui veut l'aider : peut-être y a-t-il encore un recours. Il lève désespérément la main, écarquille ses doigts, mais l'un des deux messieurs le saisit à la gorge, l'autre lui enfonce le couteau dans le cœur et l'y retourne par deux fois. « Comme un chien ! dit-il, et c'était comme si la honte dût lui survivre. »

Voilà, il y a toujours quelqu'un qui assiste à la mise à mort, mais il n'y a pas de secours. La répétition est une forme de l'indifférence : un sacrifice court à travers le temps, il a lieu tout seul – le rite ne s'interrompt jamais. Et même s'il n'y a personne pour en témoigner, un œil est là, qui ne nous lâchera jamais. Avoir mis ces deux prisonniers qui regardent Jean-Baptiste mourir comme un chien, c'est un coup de génie.

La vie courante appelle des ruses de notre part, et le combat pour la reconnaissance est si mortel qu'il suppose que nous soyons prêts à tout, même à la violence, afin de ne jamais manquer de ressources ; mais le domaine de la vérité implique une intégrité sans défaut : ici chacune de nos actions est inscrite sur un livre invisible que notre âme déchiffre d'une manière cuisante. La vie de la peinture et les figures qui s'accomplissent sur la toile évoluent dans cette dimension où rien ne nous est passé.

Est-ce que nous répondons vraiment à la parole ? Est-ce que nous vivons selon la vérité ? La peinture du Caravage mène à ce point où il n'est plus possible de se mentir. C'est un point où l'on est enfin vivant, où la source existe infiniment – et à chaque instant. Où plus rien ne nous sépare du temps. Où celui-ci se donne à nous, et où nous nous donnons à lui. La peinture et la littérature existent là.

Je m'arrête. Lorsqu'ils disaient adieu à un être aimé, les Romains ouvraient une fenêtre et d'une voix forte, afin qu'on l'entende jusqu'aux collines, scandaient trois fois son nom : *Caravaggio ! Caravaggio ! Caravaggio !*

Parmi tous les livres consultés, beaucoup m'ont été précieux :

Giovan Pietro Bellori, *Vie du Caravage*, Le Promeneur, 2007.

André Berne-Joffroy, *Le Dossier Caravage*, Champs-Flammarion, 2010.

Leo Bersani et Ulysse Duthoit, *Les Secrets du Caravage*, traduit de l'anglais par Isabelle Châtelet, EPEL, 2002.

Laurent Bolard, *Caravage, Michelangelo Merisi dit Le Caravage 1571-1610*, Fayard, 2010.

Claude Esteban, *L'Ordre donné à la nuit*, Verdier, 2005.

Michael Fried, *Le Moment Caravage*, Hazan, 2016.

Manuel Jover, *Caravage*, Terrail, 2007.

Roberto Longhi, *Le Caravage*, traduit de l'italien par Gérard-Julien Salvy, éditions du Regard, 2004.

Louis Marin, *Détruire la peinture*, Champs-Flammarion, 1997.

Michel Nuridsany, *Caravage*, Flammarion, 2010.

Catherine Puglisi, *Caravage*, Phaidon, 2005.

Neville Rowley, *Caravage, l'art pour rédemption*, À propos, 2012.

Sebastian Schütze, *Caravage*, Taschen, 2009.

Guy Walter, *Le Caravage, peintre*, Verticales, 2001.

Olivier Wickers, *Perdre le jour, Caravage en cinq actes*, Exils-France Culture, 2017.

*Caravage à Rome. Amis et ennemis,* sous la direction de Francesca Cappelletti, Maria Cristina Terzaghi et Pierre Curie, musée Jacquemart-André, Culturespaces, 2018.

*Caravage, la vie en clair-obscur*, musée Jacquemart-André, *Le Figaro,* hors-série, 2018.

*Dentro Caravaggio*, a cura di Rossella Vodret, Skira-Palazzo Reale, 2017.

*Rembrandt-Le Caravage*, sous la direction de Duncan Bull, du Rijksmuseum d'Amsterdam, Hazan, 2006.

Je remercie Sophie Hogg-Grandjean, Neville Rowley et Colin Lemoine pour leur enthousiasme, leur attention, leur patience.

Un grand merci à mes amis de *Ligne de risque*, François Meyronnis et Valentin Retz ; à Barbara Puggelli et Lucia Haenel, qui savent ; et très spécialement à Florence Delay pour son écoute et son aide.

Composition réalisée par Belle Page

CET OUVRAGE
A ÉTÉ ACHEVÉ D'IMPRIMER
SUR ROTO-PAGE
PAR L'IMPRIMERIE FLOCH À MAYENNE
EN MAI 2019

PAPIER À BASE DE
FIBRES CERTIFIÉES

Fayard s'engage pour
l'environnement en réduisant
l'empreinte carbone de ses livres.
Celle de cet exemplaire est de :
1,5 kg éq. $CO_2$
Rendez-vous sur
www.fayard-durable.fr

Dépôt légal : février 2019
N° d'impression : 94450
67-6367-6/06
*Imprimé en France*